NELSON ESTUPIÑÁN BASS
UNA INTRODUCCIÓN A SUS ESCRITOS

Casa de la Cultura Ecuatoriana

2017

Nelson Estupiñán Bass
Una introducción a sus escritos
©Marvin A. Lewis
Primera Edición–CCE–2017
ISBN: 978-9978-62-950-5
Edición: Katya Artieda
Diagramación: Santiago Ávila S.

Casa de la Cultura Ecuatoriana Benjamín Carrión
Dirección de Publicaciones
Avs. Seis de Diciembre N16-224 y Patria
Telfs.: 2 527440 Ext.:138/213
gestion.publicaciones@casadelacultura.gob.ec
www.casadelacultura.gob.ec
Quito-Ecuador

CCE
BENJAMÍN
CARRIÓN

Marvin A. Lewis

NELSON ESTUPIÑÁN BASS
UNA INTRODUCCIÓN A SUS ESCRITOS

Traducido del inglés por
Gabriela Díaz Cortez y Valentina Goldraij

Muchas gracias a:

Mary Harris, por su pericia en la preparación del manuscrito.
Gabriela Díaz Cortez y Valentina Goldraij, por la traducción delicada y profesional del manuscrito en inglés.
Argentina Chiriboga, por proporcionarme material, darme aliento y hacer observaciones valiosas que me permitieron reflexionar sobre los múltiples problemas que se presentan en la producción de un trabajo crítico.
Henry Richards, por sus enseñanzas y su apoyo.
La Biblioteca Pública de Columbia, Missouri.
Mi familia, por su apoyo incondicional a todos mis proyectos.

Contenido

Introducción

Nelson Estupiñán Bass fue el escritor más importante del siglo XX en Ecuador. Nació en Súa, provincia de Esmeraldas, en 1912 y murió en Pensilvania, en el año 2002. Estupiñán Bass expresó su agudeza literaria en varios géneros —poesía, teatro, ensayo y novela— con la intención de captar la esencia de la sociedad ecuatoriana. A partir de *Canto negro por la luz* (1954), trabajo emblemático sobre la cultura afroecuatoriana, y *Cuando los guayacanes florecían* (1954), una interpretación de la política y la violencia en Ecuador, hasta *Al norte de Dios* (1994), un tratado religioso y filosófico, Estupiñán Bass dejó un legado de cuarenta años de excelencia literaria reconocida tanto en su país como en el extranjero.

Publicó los primeros poemas afrocéntricos reconocidos en revistas de Ecuador y, junto con Adalberto Ortiz, inauguró el canon al que se subscribieron generaciones de escritores posteriores. Asimismo, publicó literatura 'comprometida', es decir, aquella que apuntaba a producir un cambio social. Sus trabajos abrazan, en un mensaje constante, la causa por el ascenso y la igualdad de los pobres, los desfavorecidos y los discriminados. Desde una perspectiva socialista y con una visión del mundo inclusiva, expresó su posición antiimperialista, a la vez que demostró un profundo conocimiento de las tendencias sociales, políticas y culturales de Ecuador.

Estupiñán Bass siguió el modelo de muchos otros escritores afrohispánicos. Sus dos primeros trabajos de relevancia son de naturaleza étnica y reafirman su identidad como escritor negro. Posteriormente, adoptó los valores de las principales corrientes literarias y mantuvo un fuerte sentido de sí mismo, lo que resalta la dualidad de su existencia. Sus trabajos se mantuvieron al corriente de las cambiantes tendencias filosóficas e ideológicas, tanto nacionales como internacionales, así como de las técnicas y las tradiciones literarias. Logró reconocimiento por sus trabajos tanto en su país como en el extranjero, se convirtió en el principal representante de la literatura producida por escritores afrodescendientes de Ecuador y en un ícono de la cultura nacional.

El presente es un estudio crítico original de los escritos de Nelson Estupiñán Bass y sus interpretaciones sobre la sociedad ecuatoriana que aborda tanto las cualidades estéticas como las humanísticas de sus trabajos. Está organizado por géneros, lo que nos permite ver similitudes y diferencias en las aproximaciones del autor al proceso creativo, y consta de una introducción y cuatro capítulos.

En la Introducción se contextualiza al escritor y sus trabajos. El capítulo I recorre la trayectoria poética del autor desde el año 1956 al año 1991 y su evolución durante la fase popular y existencial de sus trabajos. El capítulo II está dedicado a cuentos y piezas teatrales del autor, trabajos en los que lo real y lo imaginario se externalizan en el escenario en un marco ficticio mediante mitos y leyendas locales. El capítulo III interpreta la asombrosa producción novelística de Estupiñán Bass, que abarca desde el año 1954 hasta el año 1994, desde diversas perspectivas críticas. El capítulo IV analiza la prosa no ficcional, en particular el ensayo, así como otros escritos que proporcionan bases teóricas y conceptuales a la obra del autor.

Dada la amplitud y la profundidad de los textos analizados en este estudio, así como su diversidad temática y estructural, un único marco teórico general no es suficiente para albergarlos a todos. En los textos están implícitos elementos del poscolonialismo, el marxismo, la etnicidad, el psicoanálisis y otras perspectivas, lo que requiere una aproximación diversa y ecléctica a la literatura. La poesía, la novela, el cuento y la obra teatral de Nelson Estupiñán Bass comparten temas como la violencia, la discriminación, la división de clases, el privilegio de los hombres, el heroísmo y la necesidad de un cambio social, en su interpretación de los aspectos positivos y negativos de la realidad ecuatoriana. El autor aborda de manera consistente y desde una perspectiva literaria los desafíos de crear una sociedad mejor, tanto en su país como en el extranjero.

Muchos de los textos pueden ser leídos desde la perspectiva de la teoría poscolonial[1]. Ecuador padece el largo impacto del colonialismo español y la población, en particular las comunidades negras e indígenas, que han sufrido la condena de la historia en ese país, la población se enfrenta a obstáculos por su desplazamiento del lugar donde viven, el racismo, la identidad, la pobreza y la intolerancia, sobre la base del color y el lugar que ocupan en la estructura de clase.

En una breve reseña biográfica sobre Nelson Estupiñán Bass, J. R. Fernández de Cano destaca que las bases de las publicaciones del autor fueron establecidas en 1954 con la publicación de *Cuando los guayacanes florecían* y *Canto negro por la luz,* donde se establecieron sus principios temáticos y estilísticos:

---

1 Me refiero a muchas ideas expuestas en *The Empire Writes Back: Theory and Practice in Post-Colonial Literatures de Bill* Ashcroft, Gareth Griffith, and Helen Tiffin (New York: Routledge, 2002).

...la preocupación por el hombre negro y sus derechos, la recreación de lugares y escenarios típicamente esmeraldeños, la elección de una perspectiva lúdica que permite ensartar críticas muy ácidas contra la corrupción del poder, y el empleo de un lenguaje llano y preciso, triunfando diálogos, que coadyuva a una amplia difusión del texto entre los sectores de las clases menos favorecidas[2].

Estas observaciones están en estrecha relación con la preocupación que expresa Estupiñán Bass por los afroecuatorianos como su foco afrocéntrico y por Esmeraldas como su matriz creativa, además de su crítica a la estructura de poder a través del humor, el sarcasmo y la ironía. Por otro lado, Estupiñán Bass desarrolló el dominio de las técnicas y la estructura lingüística a lo largo de su carrera. No es, bajo ningún concepto, un escritor unidimensional.

La percepción general es que, a lo largo de su vida, Nelson Estupiñán Bass recibió mayor reconocimiento en Estados Unidos de América que en Ecuador. Esto se debió principalmente a los esfuerzos del antiguo grupo literario del Instituto Afro-Hispánico de la Universidad de Howard que tradujo y analizó críticamente sus trabajos. Entre los que asumieron esa tarea se encuentran el fallecido Stanley Cyrus, Miriam DeCosta Willis, Henry Richards —su mejor crítico— e Ian Smart, entre otros. Las novelas traducidas fueron *Cuando los guayacanes florecían* (Richards), *Toque de queda* (Richards) y *El último río* (Smart). Michael Handelsman también aportó estudios importantes a la literatura crítica afroecuatoriana. Los textos de Estupiñán Bass estructuran muchos cursos de literatura afrohispánica en Estados Unidos y en otros países. La aceptación de sus trabajos es amplia por su calidad y por la claridad de sus mensajes.

---

2 mcnbiografias.com/estupinnan_bass_n.

A pesar de sus variados logros, no hay ningún estudio extenso realizado por un solo autor dedicado a los escritos de Nelson Estupiñán Bass, situación que este proyecto trata de remediar.[3] La calidad de las contribuciones del autor no está en cuestión, dado que ha producido trabajos que incorporaron las últimas innovaciones técnicas y prácticas teóricas de la época, a la vez que mantiene una conciencia de lo ecuatoriano.

Estupiñán Bass se identificó como un escritor negro de Súa, Esmeraldas, y tuvo a esa provincia como la matriz de sus actividades creativas. A pesar de que una cantidad significativa de sus escritos interpretan la experiencia afroecuatoriana, Estupiñán Bass también aborda los padecimientos de todo el espectro social y étnico de este país, en que se incluye la mayoría indígena en el contexto nacional.

---

3   En *Hacia una narrativa afroecuatoriana: cimarronaje cultural en América Latina* (2005), Franklin Miranda enmarca su estudio en el concepto de 'cimarronaje cultural', elaborado por René Depestre. Miranda analiza *Juyungo* de Adalberto Ortiz y tres novelas de Nelson Estupiñán Bass: *Cuando los guayacanes florecían, El último río* y *Senderos brillantes*. Estos textos son entendidos como representativos de la expresión literaria afroecuatoriana y como interpretaciones de tendencias culturales.

  Michael Handelsman analiza a 'Nelson Estupiñán Bass en contexto' en su estudio *Género, raza y nación en la literatura ecuatoriana: hacia una lectura decolonial* (2011). Junto con Henry Richards, Miranda y Handelsman ofrecen algunas de las interpretaciones más fundamentadas de los escritos de Estupiñán Bass.

Capítulo I: Poesía

Nelson Estupiñán Bass publicó seis volúmenes de poesía: *Canto negro por la luz* (1954), *Timarán y Cuabú: cuaderno de poesía para el pueblo* (1956), *Las huellas digitales* (1971), *Las tres carabelas* (1973), *El desempate: poesía popular* (1980), *Duelo de gigantes* (1986) y *Esta Goleta llamada poesía* (1991). *Timarán y Cuabú, El desempate* y *Duelo de gigantes* se relacionan por ser payadas, es decir, manifestaciones poéticas que se enmarcan en la tradición de contrapunto entre rivales. *Esta Goleta llamada poesía* es una selección de poemas ya publicados y otros nuevos. *Las tres carabelas* incluye poesía, prosa y teatro. En un estudio anterior analicé *Canto negro por la luz,* motivo por el cual no será objeto de análisis en el presente trabajo.[4]

Estupiñán Bass es considerado el primer escritor que publicó poesía negra en Ecuador. Con respecto a su perspectiva política y producción literaria inicial, Efrén Avilés Pino escribe en la *Enciclopedia del Ecuador* disponible en Internet:

> Identificado desde temprana edad con el entonces efervescente partido comunista —bajo cuya bandera se agrupaban los escritores e intelectuales de esa época—, ya para 1934 tuvo oportunidad de publicar sus poemas 'Anúteba' y 'Canto a la negra quinceañera', que aparecieron en el diario socialista *La Tierra* de Quito. Ese fue el inicio público

---

4   El análisis de *Canto negro por la luz* está publicado en *Afro-Hispanic Poetry, 1940-1980: From Slavery to 'Negritud' in South American Verse* (Columbia: University of Missouri Press, 1983): 107-120.

de una obra literaria que alcanzaría las más altas cimas de las letras ecuatorianas, y llevaría su nombre y obra a las bibliotecas y librerías de muchos países del mundo.[5]

Desde el año 1934 hasta 1994 cuando apareció su última novela, *Al norte de Dios,* Nelson Estupiñán Bass gozó de reconocimiento internacional como un talentoso escritor de múltiples géneros. Sus poemas, novelas y ensayos trataban de definir la esencia de la cultura ecuatoriana, particularmente la importancia de la participación de los negros en su desarrollo. Al igual que la mayoría de los escritores afrohispánicos, Estupiñán Bass comienza abordando temas relacionados con la etnicidad y la identidad y, posteriormente, pasa a explorar el contexto nacional e internacional. 'Canto a la negra quinceañera' (1934) y *Al norte de Dios* (1994) representan dos polos en su trayectoria.

Gran parte de la crítica dedicada a Estupiñán Bass proviene de Estados Unidos, donde murió en el año 2002. Henry Richards es su mejor crítico y traductor. Junto con el bloque afrohispánico de la Universidad de Howard —compuesto principalmente por Stanley Cyrus, Miriam DeCosta Willis, Ian Smart, Edna Sims, Martha Cobb y Carol Beane, entre otros— Richards presentó los trabajos de Estupiñán Bass a una audiencia internacional y remarcó la importancia del autor como una gran figura literaria global.

Hasta ahora, su libro de poesía étnica *Canto negro por la luz* (1954) es el que ha recibido gran parte de la atención crítica. Esto se debe principalmente a la autoidentificación del autor como un afroecuatoriano y al reconocimiento de la importancia de la ex-

---

5 www.enciclopediadelecuador.com/temas/EstupinanBass

periencia de la literatura negra en aquellos países donde las minorías étnicas habían sido ignoradas. El nivel de agudeza poética de Estupiñán Bass es evidente en *Esta Goleta llamada poesía* (1991), un compilado de sus mejores poemas. Este volumen está dividido en tres partes: 'Poesía negrista', 'Poesía corazonal' y 'Poesía comprometida'. *Timarán y Cuabú,* su poesía popular, ha recibido escasa atención.

En el decisivo estudio *La décima en el Perú* (1982), el gran poeta y activista social afroperuano Nicomedes Santa Cruz define el modelo artístico del autor de la siguiente manera: "La décima, según la definición común, es una 'combinación métrica de diez versos octosílabos" (...) "El octosílabo es el metro más genuinamente español y también el más popular".[6] El modelo de décima más usado por la mayoría de los poetas es el que elaboró Vicente Martínez Espinel, reconocido como su creador. Más adelante Santa Cruz profundiza:

> La décima espinela es una combinación métrica de diez versos octosílabos de los cuales, por regla general, rima el primero con el cuarto y el quinto; el segundo con el tercero; el sexto y sétimo con el décimo; y el octavo con el noveno verso, ABBAACCDDC (29).

En este estudio, Santa Cruz rastrea el origen de la décima desde sus comienzos a fines de la Edad Media hasta el siglo XX. En este proceso, cita las primeras contribuciones de Íñigo López de Mendoza, Jorge Manrique y Vicente Espinel. Nelson Estupiñán Bass es

---

6 Nicomedes Santa Cruz, *La décima en el Perú* (Lima: Instituto de Estudios Peruanos, 1982):28.

uno de la larga lista de poetas de la lengua española que adoptó la tradición de la décima.

Timarán y Cuabú

Timarán y Cuabú sigue el formato y la rima básicos de la décima. Es poesía popular en forma de contrapunto entre dos rivales que participan de un combate verbal. Los competidores son presentados por un juez que describe sus semejanzas y diferencias:

> Pueblo, pongan atención
> que va a empezar la reyerta
> entre el gallo de la huerta
> y un pollo de otra nación.
> El uno es viejo campeón,
> como les consta, **faculto;**
> el otro, desde el tumulto
> se abalanzó a este litigio
> tal vez buscando prestigio
> enfrentándose a un adulto.[7]

Siguiendo el formato de versos octosílabos de la décima espinela, con una rima inicial de ABBAACCDDC, la versificación varía a lo largo del poema de acuerdo a las necesidades del emisor.

---

7   Nelson Estupiñán Bass, *Timarán y Cuabú* (1956), en *Duelo de gigantes* (Esmeraldas: Banco Central del Ecuador, 1986):11. Citado en lo sucesivo. En relación a la poesía popular de Nelson Estupiñán Bass, Richard L. Jackson escribió que "Estupiñán Bass ha creado payadores negros elocuentes en dos volúmenes diferentes, *Timarán y Cuabú* (1956) y, más tarde, en *El desempate* (1978). Los dos volúmenes, buenos ejemplos de géneros folclóricos populares adaptados a géneros literarios escritos, emplean el desafío (conocido como contrapunto o argumento), mecanismo poético mediante el cual se presentan puntos de vista contrastantes mediante improvisaciones". *Black Writers and the Hispanic Canon* (New York: Twayne, 1994): 96.

La competencia es entre "el gallo de la huerta" y "un pollo de otra nación". Este último está buscando ganarse la fama, lo que implica derrotar al campeón local actual. El juez declara su neutralidad y afirma que para el jurado el criterio excluyente es una "garganta de calidad" (11).

Pedro Timarán se presenta a sí mismo como "el gran gallo de Tachina ...desde que tengo memoria/no he perdido una pelea" (11). Cuabú no revela su nombre, lo cual no es importante, pero deja claro: "detesto la jactancia" (11). Luego se sabe que Cuabú no tiene un hogar fijo porque dice: "He renunciado a mi patria/porque mi patria es el mundo" (12). Identificado como un 'judío errante', su conducta lleva un mensaje social: "pues para los hombres pobres/no se han hecho las fronteras" (12). El escenario está preparado para un contrapunto relacionado a cuestiones culturales de la actualidad, entre dos contrincantes cuyas visiones del mundo no pueden ser más dispares.

Luego del cumplir el requisito de pavonearse, los contrincantes comienzan a tratar cuestiones de época, como la hombría, la diferencia entre ricos y pobres, el pasado y presente, la comida, los impuestos, la vestimenta de las mujeres, los políticos, el amor y el folclor. Una parte importante del debate está destinada a mitos y leyendas afroecuatorianas, como 'La Gualgura', 'El Riviel' y 'La Tunda'. Estas figuras unen a la comunidad en su dimensión oral y conectan generaciones en torno a creencias populares. Por ejemplo, 'La Gualgura' es definida por Estupiñán Bass como una "gallina fantástica que, según la creencia popular, sale por las noches acompañada de sus pollos" (98). Timarán relata su encuentro nocturno con una gallina y sus pollitos y su experiencia tras seguirlos en la oscuridad hasta que llega a la morada de un anciano que le explica la situación:

—Ponga otra vez atención
compadre, me dice el viejo

A usté, que dizque es conejo,

en esta triste ocasión

lo ha engañao la visión.

Lo que en esta noche oscura

ha seguido, es la Gualgura...

Oigo esto, y casi me asusto,

y tiemblo, como un arbusto

abatido en la llanura (33).

En esta ocasión, Timarán se ha enfrentado cara a cara con lo fantástico, un tipo de realismo mítico, una situación que no puede explicar siguiendo las reglas de la lógica en el marco del contexto cultural de Esmeraldas. Al seguir a la gallina por 'cerros', 'llanos', 'cañaverales', 'peñas' y 'manantiales', espera resolver el misterio de su presencia. Más adelante, Juan, su amigo, explica:

—Cualquiera que sea el tiempo,

haya lluvia o haya viento,

sale siempre a la llanura

por la noche, una Gualgura

como buscando un cristiano.

Después se va por el llano

derramando su amargura (34).

Juan no ofrece una explicación lógica de la existencia de la Gualgura ni de sus actos, pero dado el ambiente premonitorio creado en la noche, su presencia no es positiva. Finalmente, la Gualgura se desaparece en el ambiente nocturno:

se agita en la noche oscura,

y se pierde en la espesura,

como un ave maldecida

que no topara guarida

en esta inmensa llanura (34).

La Gualgura es percibida como un 'ave maldecida' cuya presencia es más imaginaria que real. No tiene un lugar fijo y parece estar condenada a vagar, al menos en la imaginación popular.

La segunda figura mítica y folclórica que aparece elaborada por Timarán es el Riviel. Esta figura es descrita por Estupiñán Bass: "Según la creencia popular, personaje que navega por los ríos y el mar, en una canoa pequeña, con una luz en la proa" (100). Timarán relata su encuentro con el Riviel de la siguiente manera:

A pesar de la menguante

veo que su tolovera

es una gran calavera,

achatada, repugnante,

reseca y espeluznante.

Con sus manos sin carne toma

y lo maneja y lo doma,

como amarrado con soga,

un hueso con el que boga

y hace toda su maroma (35)

Según Timarán, él se enfrenta al Riviel y lo persigue sin éxito, mientras que su compañero de canoa se desmaya del miedo. Una vez más, al igual que en el caso de la Gualgura, Timarán se enfrenta a una situación que desafía toda explicación lógica y tiene dificultad para separar la fantasía de la realidad. Afirma su hombría ("sabe que está frente a un hombre," (35) y Riviel lo deja ("en su canoa tan ligera," (35). Estas afirmaciones potencian el ego de Timarán, pero no resuelven el misterio del Riviel, que permanece intacto en el imaginario popular.

Para no ser vencido, Cuabú se afirma como un viajero por el mundo bien versado en el folclor de Ecuador. La Tunda es su modelo. La narrativa de Cuabú abarca la referencia tanto a las condiciones naturales como a aspectos sociales. La protagonista de la narrativa es Ambrosia, una mujer que se gana la vida buscando oro en el río y es un emblema de las mujeres de Esmeraldas:

> ¡Ah!, mujeres campesinas
> de las selvas de Esmeraldas,
> que bregan igual a un hombre
> sacando trozas de balsa,
> cargando tagua en canastos,
> o racimos de bananas
> bajo los hombros fornidos
> con el machete y el hacha
> en desbrotes o desmontes (37).

A pesar de la carga que soporta por ser el sostén económico y la responsable del bienestar de la familia, la negra Ambrosia es presentada irónicamente como un ser en armonía con "el paisaje en su esplendor" (37). Las plantas, los animales y otros seres aparecen como partes de un todo coherente:

En una vega, los guabos

agitaban en el viento,

como culebras, sus guabas.

En la opuesta, un naranjal

pregonaba su cosecha

en el potrero aturdido

con semejante fragancia (37)

La desconexión entre Ambrosia y el orden natural al igual que su lucha contra las enfermedades se pronuncian aún más: "Atacadas de parásitos, / de buba, /de paludismo" (37) y "olvidadas del Gobierno" (37). El pedido de justicia de Cuabú se vuelve más agudo a medida que avanza el relato, como en el siguiente apóstrofe:

¡Ah!, mujeres campesinas

de las selvas de mi tierra,

despreciadas, olvidadas,

anónimas mensajeras

que llevan la montaña

sin que reclamen por ello,

la bandera ecuatoriana (37).

Estas patrióticas mujeres privadas de derechos, despreciadas y alienadas son explotadas por hombres malvados, políticos deshonestos, seres que malgastan el dinero, que junto con otros viven como insectos "de la sangre de los pobres" (37). Vivir en un ambiente natural caracterizado positivamente no alivia el impacto de la pobreza, el racismo, el sexismo y la discriminación que sufre la población. Esta es la idea que subyace en la descripción que Cuabú hace del encuentro entre Ambrosia y La Tunda.

La Tunda es descrita por Estupiñán Bass como la "Mujer que, según creencias campesinas, se lleva a los niños hacia la montaña" (101). Adalberto Ortiz define La Tunda como "un supuesto fantasma de la selva, que es el coco o cuco de los niños negros".[8] La manera en que Cuabú describe a La Tunda coincide con la idea de este fenómeno. Al regresar de un duro día de trabajo, Ambrosia descubre que su hijo no está:

> ¡Ay!, cómo se llena el rancho
> con la rabia de Ambrosia!
> Dice: —¡Este Julio, el travieso,
> otra vez se jue pa' abajo!
> Lo busca por todas partes,
> Julio Ayove no aparece.
> Una vecina le dice:
> —se lo habrá llevado la Tunda,
> la pata de molinillo (38).

La 'pata de molinillo' que delata a La Tunda es la señal que siguen los que buscan el rastro del fantasma en el pantano y la maleza. Es un intento de rescate que lleva adelante toda la comunidad con perros, machetes y armas de fuego. Pero lo único que encuentran es el rastro de "la pata de molinillo" (39). Llega un punto en que creen tener a La Tunda rodeada:

> Va la gente hacia el lugar
> indicado por el hombre,
> pero la Tunda, veloz,
> se pierde y nadie la encuentra (39).

---

8 Adalberto Ortiz, *Juyungo: historia de un negro, una isla y otros negros* (Barcelona: Seix Barral, 1976): 285.

Este resultado es un ejemplo de la relación entre la comunidad a la que pertenece Ambrosia y La Tunda que es parte del imaginario colectivo, pero nunca una realidad tangible, y solo está conectada con la comunidad por la imagen de la 'pata de molinillo'. Finalmente, encuentran a Julio, que hace un relato extraño de su experiencia:

—¡Mama, si era como usté,

llevaba su mismo traje,

y me llamó por mi nombre,

por eso yo la seguí (40).

¿Se topó Julio con un fenómeno que cambia las formas o fue todo un sueño después de haberse perdido en la selva? Paula, una vecina, cuenta una historia que confirma lo ocurrido:

¡Esa es la Tunda!, la mesma

que en el anteaño pasao,

se me lo trujo al Cirilo.

—Es la mesma, comadrita,

la pata de molinillo (40).

La Tunda tiene fama de alimentar a sus cautivos con mariscos crudos, pero en este caso coloca los camarones debajo de la pollera y los saca totalmente cocinados: ¡pura magia! La Tunda es un componente fundamental del sistema de creencias de Esmeraldas, ya sea real o imaginada. Pertenece a la misma tradición de realismo mítico ejemplificado con la presencia de La Gualgura y El Riviel.

A pesar de que la Gualgura, el Riviel y la Tunda ocupan gran parte del debate entre Timarán y Cuabú, estos también tratan muchos otros temas de interés general. La versificación no se restringe a la décima, tampoco. Hay varios sonetos como 'El primer pensamiento' y 'Muchacha esmeraldeña'. 'Carta de amor' es en verso libre, mientras que 'Para siempre, sin restricciones, mía' consta de veinticuatro estrofas de versos de doce sílabas. Esta diversidad demuestra que los contrincantes son maestros en el arte de la versificación. Los jueces están tan impresionados que piden que continúe la competencia; Timarán responde con 'Cantares de un campesino' mientras Cuabú expresa 'Cantos al pueblo'.

Ambos contrincantes están preocupados porque el actual sistema político y económico no satisface las necesidades de los pobres y por esto expresan la necesidad de un cambio revolucionario. En 'Cantares de un campesino' Timarán relata sus experiencias como luchador contra las fuerzas de Eloy Alfaro: "Y en la selva tropical /me enfrenté con la nación, /peleando como un león /en contra de un vendaval" (42). En esta lucha, Timarán aprendió que la división entre Costa y Sierra era artificial y sólo daba como resultado un derramamiento de sangre inútil y, además, que la revolución "pereció por la traición, /el pillaje y la falsía". (42). El posterior fracaso de las instituciones representa la esencia del descontento de Timarán.

Cuabú toma los aportes de Timarán como punto de partida:

> para poder restaurar
> la patria que hemos de alzar
> de su ruina transitoria
> para cubrirla de gloria,
> y regresarla a su altar (47)

Luego denuncia la corrupción, la violencia, el liderazgo y las fallas tanto del liberalismo como del conservadurismo como sistemas políticos. Cuabú proyecta una serie de posibilidades negativas para el futuro del país por medio de la anáfora con las palabras 'podrá'/'podrán'. Varios ejemplos alcanzarán para demostrar su pensamiento: "Podrá otra vez la basura/ gobernar la ciudad... (...) Podrá volver el ladrón/ que no conoce el decoro... (...) Podrán falsos sacerdotes/ predicar la religión". "Podrán vender la bandera/ del Ecuador, otra vez" (48-51). Hay una letanía de negatividad en el discurso de Cuabú. Al final, resume que la esclavitud económica es lo que más aborrece.

Frente a tales disertaciones elocuentes acerca de la nación y la complejidad de sus culturas, los jueces no pueden determinar quién es el ganador. Se proclama un empate que posteriormente será el tema de *El desempate*, publicado en 1980.

El desempate (1980)

El desempate continúa el debate entre Timarán y Caubú, con intervenciones de los jueces y del público que van estableciendo el tono de los intercambios. Una vez más, los contrincantes abordan temas populares tales como el alcoholismo, la promesa y el fracaso del petróleo, la reforma agraria, el rol de las mujeres, la educación, el control de la natalidad, la prostitución y el sufrimiento de América Latina. Al principio, el juez propone que la glosa, último verso de la estrofa de la décima, sea incorporada a los versos. Para Timarán es:

> Florecen los guayacanes,
>
> los cerros son puro son,
>
> el aire, el beso y el sueño
>
> se pintan con esta flor.[9]

---

9 Nelson Estupiñán Bass, *El desempate* (1980), en *Duelo de gigantes* (Esmeraldas: Banco Central del Ecuador, 1986): 57. Citado en lo sucesivo.

Cuabú debe responder:

El río es un trovador,

y su guitarra es la orilla,

el mar es cielo volteado,

el cocuyo es alma en pena (58)

El desafío inicial de incorporar aspectos de la naturaleza en el diálogo es algo que ambos logran sin dificultad, dado que sus versos exaltan la belleza natural de Ecuador.

De pronto, el debate gira hacia cuestiones más problemáticas que afectan el *ethos* nacional: la principal es el petróleo. Timarán acentúa las virtudes del producto para el futuro del país y, a su vez, las desventajas relacionadas con este:

Pronto vamos a gozar

del tesoro descubierto

ya no será un boquiabierto

el país, ni será un mar

en que vengan a pescar

las tintoreras de afuera (59).

Por un lado, Timarán reconoce el valor del petróleo para el desarrollo económico del país a la vez que advierte las desventajas de la dependencia internacional y la explotación de los recursos por potencias extranjeras. Cuabú ofrece una fuerte opinión disidente:

¿Y el pueblo? ¡Es petro—mendigo

con la barriga vacía!

...

Nunca el pobre ha de gozar

del aluvión petrolero.

...

Solo tendrás que observar,

como el fiel ante el altar,

a felices mandatarios,

reales usufructuarios.

Con sus compadres y ahijados

de los pozos perforados

y los bienes subsidiarios (60)

En este intercambio, la fantasía choca con la realidad. Si bien ambos contrincantes reconocen el potencial del petróleo, Cuabú basa su valoración más en el pasado histórico que en las posibilidades futuras. Cuabú afirma que la nacionalización de la industria del petróleo es el primer paso para enfrentar la dominación extranjera. De lo contrario, la complicidad entre la corrupción interna y la intervención externa enriquece a unos pocos a costa de la mayoría.

Luego, los contrincantes ponen su atención en la reforma agraria, inspirados en los comentarios introductorios del Juez 1. Este último describe el proceso como una "chanfaina falsa" aprovechada por burócratas que:

mantiene ilusionado

al humilde campesino,

que no tiene otro destino

que vivir esclavizado (61).

Cuabú y Timarán están de acuerdo con la evaluación del Juez sobre este proceso. El primero se refiere a dicho proceso como una "pendejada imaginaria/ que está estancada y no avanza" (61) y el segundo afirma "que la Reforma es mentira" (61). Los participantes coinciden en que la presunta reforma agraria sólo es otro mecanismo para permitir que los sectores acomodados se enriquezcan aún más y los sectores oprimidos queden más atrapados en la pobreza. El fracaso de la reforma provoca una migración interna del sector rural a las zonas urbanas en busca de una vida mejor. Cuabú observa que "los montes se van quedando/ sin gente y abandonados" porque las aspiraciones de la gente son frustradas por la pobreza y la discriminación en la ciudades.

El tema de la liberación de las mujeres da lugar a un extendido debate entre los participantes. Cuabú plantea la cuestión mediante una pregunta retórica.

¿No es verdad que por su suerte
la mujer es una esclava
que cocina, barre y lava
hasta el día de su muerte? (65)

Timarán se hace eco de esta descripción del rol tradicional de las mujeres en la sociedad y responde con una invectiva relacionada a sus actividades. Estas incluyen tareas domésticas, casamientos arreglados, control de la natalidad, prostitución y otros comportamientos considerados negativos. La pregunta que Timarán le plantea a Caubú es cómo puede abogar por la liberación de las mujeres si "está haciendo naufragar/ no solamente el hogar/ sino toda la nación" (68).

Cuabú presenta una serie de soluciones al problema de la liberación de las mujeres, propias del sentido común, donde la educación es la primera. Afirma:

> Todos debemos abrir
> las puertas a la mujer
> para que con su saber
> suba igual a su marido (69).

Si así fuere, para Cuabú, la mujer podría ser comandante militar o presidente. Lo más importante es que ella tiene que decidir sobre su cuerpo en materia de matrimonios arreglados y sexualidad. En el análisis final:

> Al decir liberación
> quiero decir igualdad,
> también oportunidad
> en oficio o profesión (71).

Equipar la liberación con la igualdad es el punto crucial del discurso de Caubú. Comienza enfatizando el papel tradicional de las mujeres como amas de casa y continúa demostrando que tienen muchos otros aportes que hacerle a la sociedad. Las opiniones de Timarán siguen siendo antitéticas a las de su joven oponente.

El Juez 1 le permite a Cuabú marcar el tono para el resto del intercambio y este elije el tema del control de la natalidad. Timarán no está de acuerdo con esta idea. Cuabú expresa su preocupación por la reducción de recursos naturales, instalaciones educativas adecuadas y por las guerras y enfermedades que eso trae aparejado. También critica al falso machismo según el cual la hombría equivale a la destreza sexual. Esto ejemplifica el caso de un hombre que tiene hijos con veinte mujeres y recibe subsidios del Estado.

> Da pena ver esos niños
> anémicos y rateros
> mientras él bota el dinero
> conquistando otros cariños (75).

Como posible solución a este problema, Cuabú pide un programa de control de natalidad administrado por el gobierno. Timarán se opone a las ideas de Cuabú en relación a la destrucción del medio ambiente, la sobrepoblación, el control de la natalidad y la pobreza y se burla de las preocupaciones de Cuabú que reflejan las de los ricos:

> ¡El mundo se va acabar!
> ¡No va a haber aire ni agua!
> ¡No jalará ya la cagua!
> ¡Basta ya de procrear!

No pueden estar más distanciados entre ellos en relación al principal conflicto social de sus tiempos. El Juez 1 les pide a los contrincantes que continúen recitando en el estilo 'moderno' más que en el 'tradicional'. Timarán pronuncia 'Palabras para Enrique Gil' y Cuabú expresa 'América Latina está de bruces'. El primero elogia a un profesor renombrado mientras que el segundo se lamenta por el sufrimiento de los países sometidos por dictaduras.

Uno de los mejores momentos líricos tiene lugar cuando el Juez 1 les dice que le canten a la condición de mujer y ambos componen sonetos:

TIMARÁN —

Quisiera que esta noche cada palabra fuera
un pétalo de rosa para echarlo a tus pies,
para hacerte una alfombra que muy bien compitiera
con la que el mes de mayo despliega ante el ciprés.

Toda tú eres bonita, tan bonita como una
ilusión auténticamente tropical,
por eso es que pareces llamado vegetal
de un llano de mi tierra embriagado de luna.

Quisiera que de galas mi verso se vistiera
para cantar tu cuerpo, voz de la primavera,
que por todos tus poros derrama su dulzura.

Para hacerlo posible solamente te imploro,
darme tu corazón, codiciado tesoro,
para que por mi voz corra tu río de ternura (88).

CUABÚ —

Emperatriz del garbo, que sin que tú lo quieras
lecciones de esbeltez les das a las palmeras,
el trópico a tus labios les puso una dulzura
igual a la vertida en la fruta madura.
China de las pupilas como un amanecer,
que en silencio me dicen tu profundo querer,
me parece que un cofre de ternura inefable
está hundido en el mar de tu cuerpo adorable.

¡Oh, muñeca celeste, oh, terrestre lucero,

sueño alegre de Dios, agua de manantial,

llano lleno de sol y luna tropical,

　más allá de mí mismo te digo que te quiero,

y, embriagado de amor, suspiro por el día,

en que el Destino, al fin, me dé tu compañía! (89).

Tanto Timarán como Cuabú destacan las virtudes de la belleza física objeto de sus deseos. Timarán la retrata en el marco de la naturaleza, al exclamar: "Toda tú eres bonita, tan bonita como una/ ilusión auténticamente tropical" (88). Parece ser un "...llamado vegetal/ de un llano de mi tierra embriagado de luna" (88). Poetizado, su cuerpo es una "voz de la primavera", su corazón un "codiciado tesoro" que el emisor desea poseer. El escenario nocturno y las imágenes de pétalos de rosas y cipreses confieren al poema de Timarán un tono romántico. Al utilizar 'quisiera' como anáfora y apóstrofe para dirigirse a la mujer, crea una poderosa escena de deseo.

Cuabú también se dirige a la compañera deseada en el amplio contexto de la naturaleza y se concentra en sus cualidades físicas. Es una "china" (mestiza) cuyos sentimientos están ocultos en "el mar de su cuerpo adorable" (89). Descrita en el marco de un escenario tropical, su cuerpo esbelto imita las palmeras y sus labios llevan la dulzura de la fruta madura; el tercer terceto representa una fusión entre el orden natural y el celestial:

¡Oh, muñeca celeste, oh, terrestre lucero,

sueño alegre de Dios, agua de manantial,

llano lleno de sol y luna tropical (89).

En este apóstrofe, el emisor le pide al Cielo y a la Tierra que lo ayuden en su búsqueda del objeto de deseo. Al final, le implora al destino que lo ayude a conseguir la compañía de la mujer. Los sonetos de Timarán y Cuabú son similares en cuanto a que ambos emisores buscan una mujer aparentemente inalcanzable, la sitúan en un ambiente romántico y natural y le imploran al destino que intervenga a favor de ellos.

Timarán y Cuabú finalizan su competencia con el tema de la etnicidad. El Juez 1 les pide que consideren "su propio tipo racial,/ digo el negro y el mulato" (92). Explica: "Pues en el mundo solo hay/ una raza que es el hombre" (92). Cuabú evoca de inmediato sus orígenes africanos, desde la captura y el posterior cruce forzado del Atlántico hasta la existencia actual en el continente americano:

> No es mi lugar de origen
>
> esta América
>
> mis raíces están en ultramar,
>
> llegué contra mi voluntad
>
> sobre las olas
>
> como un arcángel negro a la deriva (92).

Cuabú continúa evocando imágenes bíblicas a medida que se describe como un "Cristo desarraigado/ con la imagen de África/ en la piel" (92). A pesar de las dificultades que tuvo que soportar, Cuabú, símbolo de la diáspora africana, sobrevive:

> Trasplante embotellado de África,
>
> ahorcado en la mesana,
>
> echado al mar
>
> dado por muerto

a duelo con el mar y el relámpago,

agazapado sobreviví (92).

Cuabú reconoce la experiencia similar de los negros a lo largo del continente americano y a esto se refiere en la última estrofa:

Ahora soy

el amenazante Poder Negro en Norte América,

el horno socialista en África,

el moreno que forja

un alba nuevo en el Brasil,

el embrión del viento nuevo en las Antillas

bomba de tiempo en Panamá,

el ébano alegre de Ecuador,

el zambo,

el moreno,

el marginado sutilmente aquí y allá (93).

Cuabú, un hombre negro común y corriente, se identifica con los movimientos sociales de toda la diáspora africana, desde Estados Unidos hasta Ecuador, su país natal. Este componente está presente en la descripción que se hace de él desde el comienzo como un 'judío errante'. El poder de los negros, el socialismo, el despertar de la conciencia y, en última instancia, un futuro mejor es lo que desea Cuabú para un mundo en que pueda andar "un camino ancho y multicolor/ sin un discrimen" (93).

Timarán se aproxima de otra manera a la cuestión de la etnicidad y la identidad:

Bien sé

que no soy negro

ni blanco,

no soy indio

ni extraño,

soy como la penumbra

que naufraga en la noche (93).

Timarán oculta su identidad con imágenes de semioscuridad y niega su pertenencia a cualquiera de los tres marcados grupos de color en Ecuador, negro, blanco e indígena. En la paz, es enemigo de los negros y en la guerra, de los blancos. Esto indica la naturaleza cambiante de su identidad. Timarán ruega que lo perdonen por su ambivalencia y reconoce que, a lo largo del tiempo, el mestizaje y "el tiempo borrará para siempre/mi huella en el camino" (94). La ausencia de una identidad, ya sea negra, blanca o indígena deja a Timarán en un limbo. Su actitud es un factor que los jueces tienen en cuenta para la decisión final.

El Juez 2 vota a favor de Pedro Timarán, mientras que el Juez 3 elije a Alberto Cuabú. El Juez 1 emite el voto decisivo. Para él, la visión de Timarán contempla el pasado mientras que la de Cuabú mira hacia el futuro. El primero tiene sus méritos:

pero su cruce racial

lo vuelve en tentenelaire,

y le malogra el donaire

en lo futuro y lo actual (96)

El Juez 1 cree que la conformación mestiza de Timarán impacta en su agudeza poética así como en su visión del mundo. Al final, Cuabú es aclamado:

Nuevo Mandinga gigante,

pregón de la multitú

que dará a la negritú

a juerza del huracán

la Gran Flor del Guayacán

es suya, Alberto Cuabú (96).

Duelo de gigantes y *El desempate* son una demostración de la destreza poética de Nelson Estupiñán Bass, así como de sus interpretaciones de aspectos de la cultura ecuatoriana. En boca de dos poetas populares se transmiten los males de la sociedad y se transmiten los pensamientos de la mayoría de los pobres y oprimidos de Ecuador. Ni la historia, ni la economía, ni el origen étnico, ni la política, ni casi ninguna de las estructuras sociales los beneficiaron. En la decisión final de este concurso, el color negro sí cumple un papel activo en el futuro del país.

Las huellas digitales (1971)

Las huellas digitales es una selección variada de poemas dedicados a diversos lugares comunes del arte: el proceso creativo, la familia, el amor, la muerte, la naturaleza, la violencia y el papel del poeta como visionario de lo social. El resultado de estas preocupaciones se define como las 'huellas dactilares' o 'caminos digitales' del emisor que constituyen una de las claves de la existencia, tal como lo capta el poema final.

'Contraseña' que se dirige a la presencia y el deber del poeta, está escrito como una especie de afirmación de una voz oprimida que mantiene, sin embargo, la capacidad creativa. El emisor afirma: "Sigo escribiendo/ de atrás para adelante/ contra el viento",[10] a pesar de los numerosos obstáculos, los altibajos, los desafíos a la muerte, sale más fortalecido y afirma "y traigo mi palabra,/ como un rifle" (6). Esta afirmación sugiere que la contraseña del emisor es la resistencia.

En *Las huellas digitales,* Estupiñán Bass dedica un espacio lírico sustancial a su familia. "Las almas enlazadas y el silencio (A mi hijo Franklin Gustavo)", "La muerte (A mi hermano César Nevil)", "Si escribes, hijo mío... (A mi hijo Lincoln Patricio)" y "A mi madre" son homenajes a miembros de la familia del emisor y al modo en que fue criado, como así también a la pasión que siente por estas relaciones.

'Las almas enlazadas y el silencio' es un poema de naturaleza didáctica en la medida en que el emisor intenta inculcar valores a un niño de cinco años. El uso anafórico de 'quisiera hablarte' es el motivo recurrente del poema. Se transmite al niño un variado abanico de escenarios mundanos, muchos de los cuales incorporan preocupaciones morales. La conversación que comienza al lado de la ventana mientras observan el anochecer y la naturaleza inmediatamente plantea una seria pregunta retórica en contraste con el ambiente sereno:

> ¿y la macabra polvareda que levantan las bambas
>
> cuando desfiguran el rostro de la Tierra,
>
> y los niños desconocidos, hermanos tuyos y de todos,
>
> calcinándose en los altos hornos de la guerra? (19).

El emisor intenta transmitir la idea de la interconexión de la experiencia humana más allá de las barreras del tiempo y la distancia. La

---

10   Nelson Estupiñán Bass, *Las huellas digitales* (Quito: Colección Pachcámac, 1971): 6. Citado en lo sucesivo.

destrucción de individuos de un lado del planeta afecta a aquellos que están limitados por sus propias restricciones espaciales y culturales. Las imágenes de 'almas conectadas' del título transmiten este mensaje.

Esta aproximación dialéctica a la experiencia humana continúa a lo largo del poema con el mismo método de la pregunta retórica para plantear interrogantes acerca de las disparidades sociales y educativas, así como acerca de los acontecimientos sociales, la alimentación, los sacrificios de los héroes nacionales y la guerra. El planeta es el receptor final de los efectos positivos y negativos de estas actividades humanas. Esto se evidencia cuando el emisor afirma: "Quisiera hablarte de las cometas/ que este agosto volveremos a poner/ entre las gaviotas y las nubes", a esto le sigue una contradicción:

> pero,
>
> ¿y el mar, antes baldío y de todos,
>
> ahora arrebatado con todas sus especies,
>
> los bosques entregados,
>
> el subsuelo trastrabillando entre expedientes,
>
> y el cielo envenenado,
>
> que es hoy también una amenaza? (21).

Los seres humanos son el centro de las experiencias positivas y negativas retratadas en el poema. A una edad temprana, el emisor intenta informarle al niño sobre los lugares comunes de la existencia humana y los peligros de permanecer en silencio.

La omnipresencia de la muerte es el tema de 'La muerte' dedicado "A mi hermano Nevil". La premisa que subyace a este poema es la idea de que la vida es un viaje hacia la muerte. Esta actitud es evidente desde los primeros versos: "Cotidianamente tomamos/ nuestra dosis de muerte/ gota a gota" (35) y en la estrofa siguiente aparece la muerte de manera inesperada:

> O al doblar la esquina,
>
> cualquier día,
>
> nos sale al encuentro intempestivo
>
> con su libro de cuentas bajo el brazo,
>
> o una noche golpea
>
> con sus secos nudillos nuestra puerta,
>
> y entra con su llave maestra
>
> en nuestro sueño (36).

Como era de esperar, la muerte muchas veces llega en un momento inoportuno, cuando menos se la espera, esté uno despierto o dormido, durante la noche o el día. Irónicamente, la muerte aparece humanizada con un libro de cuentas en las manos y una llave maestra a la existencia humana. A lo largo del poema, el emisor expresa ambivalencia hacia el concepto de la muerte. Por un lado es una 'nube oscura' y por otro es una 'estrella brillante'. La muerte está con nosotros en todos lados, mirándonos, en las aguas, las estaciones del año, los ciclos del universo. Es inevitable.

"Si escribes, hijo mío" es un apóstrofe dirigido "A mi hijo Lincoln Patricio", en el que el emisor le da algunas sugerencias para ayudarlo a triunfar. La poesía debería ser un acto estético, "será porque un río te sale por la voz como cascada/ arrancas en el desvelo el velo a las imágenes", así como un acto social para que "tu voz se haga eco familiar entre los pobres/ y el eco de los pobres sea tu voz" (37). La naturaleza debe ser un componente esencial del acto creativo. La tierra, el aire, el agua, el paso del tiempo y los ciclos del universo son componentes esenciales del mismo. Pero ante todo, "ponle huesos y sangre a lo que escribas" (38).

> La advertencia final del emisor es:
> recuerdas que estás comprometido
> con el hombre de abajo y su techado,
> su alfabeto inconcluso y su camisa,
> su mesa sin manteles y sin frutas,
> su apagado domingo sin cinemas,
> y con la perseguida sangre general
> y sus emblemas (39).

Para el emisor, la función social de la poesía es tan importante como su misión estética: combinar forma y contenido que sirvan de guía para inspirar la igualdad social y disminuir el proceso de abuso.

'A mi madre', el último poema de este ciclo familiar recuerda a la persona más importante en la vida del emisor. A pesar de que está muerta, su presencia se evidencia en los lamentos del emisor sobre aquellas cosas que pudieron haber sido dichas o hechas en el pasado, pero no lo fueron. Aun así, en los sueños, "rueda entonces tu voz adentro de la mía como el agua que anda debajo del verano" (43).

El emisor lamenta que algunos pequeños actos de bondad hacia su madre no fueron manifestados físicamente, aunque sí sentidos interiormente. Los recuerdos de la madre ocupada en tareas domésticas acompañan al emisor, así como su motivación por la educación:

Está viva en mi pulso la misma dirección que le diste a mis manos allá en el silabario. Sigo en el mismo banco, aprendiendo a escribir, con tu mano rural encima de la mía (43).

Este homenaje a la madre es reforzado con imágenes de la naturaleza consistentes con las conexiones entre los humanos y el universo presentes en todo el poema. El emisor la ve mientras el sol se esconde bajo las montañas y evoca recuerdos positivos de su infancia, en perfecta armonía con la naturaleza.

Estos tres poemas dedicados a la familia son precedidos por 'Contraseña' y 'Manifiesto a mí mismo'. Este último es un 'arte poética' que exterioriza los aciertos y los errores de los poetas, sus ensayos y tribulaciones. El segundo párrafo de esta breve narración capta la esencia de lo que significa ser un poeta:

> Ser poeta es ser un adjetivo supeditado al sustantivo hombre; el término es como una túnica para la tarde o la mañana, como una flauta que tocamos a todo pulmón hasta en los duelos, y después, con un séquito de sueños desvaídos, enterramos en nosotros, bajo bloques de profundos silencios y entre hileras de olvidos; es como tener un hermano invisible y palpable, arribado en la misma cigüeña, que nos da y que nos quita, nos estira y encoge, y juega a las escondidas con nosotros, hasta el día final de su abandono, y su encuentro eventual en el ensayo nocturno de la muerte que es el sueño (7).

El poeta es una metáfora de la actividad creativa de los seres humanos en esta afirmación inicial. La poesía abarca, según la visión del poeta, muchos aspectos del universo en sus interpretaciones, desde lo local hasta lo universal. Se observan los ciclos de la naturaleza y su belleza, la muerte y el renacimiento: "es como tener un hermano invisible e intocable".

Hay dos poemas dedicados a la patria: 'Reiteración al pueblo' y 'También yo digo patria'. El primer poema comienza como una pregunta retórica, un apóstrofe que interroga y, a la vez, reconoce la voz, el amor, la pasión y la motivación que brindan las personas, la comunidad y el país al emisor, un producto del entorno:

> nos crispamos por igual en las hogueras,
>
> respondemos a las bombas
>
> con un puño común,
>
> me arrastras, como una piedra, en tus aludes,
>
> me salpico el rostro
>
> cuando caes abatido en estos días tan sucios,
>
> pero me lavo también contigo
>
> en tus fulgores (9).

Esta relación simbiótica y armoniosa sobrevive a lo largo de experiencias positivas y negativas y es articulada con pasión. Las atrocidades de la guerra y sus consecuencias se enfrentan colectivamente y se entienden dentro del amplio contexto de la nacionalidad.

En las estrofas siguientes, se le habla al pueblo y se le recuerda su actual papel en la construcción de la nación. El llamado al 'Pueblo mío' es seguido de adjetivos que ensalzan sus virtudes:

> impúber y desmemoriado anciano de barbas y de báculo
>
> sabio y analfabeto,
>
> paciente y atolondrado (10).

La naturaleza dialéctica del pueblo se pone en primer plano en estos versos, que expresan lo positivo y también lo negativo.

"Pueblo mío" es también una "—cálida vertiente de mi interminable palabra vegetal", que en tiempos de crisis tiene la capacidad de desencadenarse:

sobre el trémulo tapete de la Patria

tus centauros mulatos,

tus ciclones montubios

tus relámpagos negros,

jugándote, cual un viejo tahúr,

la libertad (10).

Cuando la libertad del país está en juego, históricamente los diversos grupos étnicos se han unido para salvar la nación. Mulatos, montubios y negros responden al llamado; notablemente ausentes están los blancos, probablemente debido a la naturaleza intestina de las luchas y al hecho de que la oposición es principalmente contra ellos.

'Reiteración al pueblo' trata de crear conciencia sobre la desigualdad social. En la última estrofa, la postura del emisor como defensor de los pobres es explícita entre quienes:

[que] hoy tiene un sitio reservado para mí, unido al hombre simple

que hoy gime y balbucea,

y, sin embargo,

noche a noche,

restregando sus lámparas

mientras los monstruos duermen,

o cantan

o se embriagan

desenrolla la historia hacia el futuro (11)

Esta 'reiteración' pone de relieve las tensiones estructurales internas de la sociedad. El emisor, como visionario, observa las inequidades históricas y cómo los menos afortunados actúan en nombre de la nacionalidad, mientras que los privilegiados viven, aparentemente, en otro mundo, ajenos al progreso social de las mayorías.

'También yo digo patria' es un soneto que expresa lealtad al país y una imagen positiva de este. El emisor invoca a un tipo específico de patria:

> Patria de pie y sin miedo, de todos y sin dueños,
> veraz como la luz sin fondo del verano
> que reparta gavillas de mieses y de sueños (41).

Será un país capaz de pararse por sí mismo, incluso sin miedo, capaz de satisfacer las necesidades, tanto materiales como espirituales de su pueblo.

Las mujeres y el ideal femenino son los temas de 'El silencio imposible', 'Última instancia', 'Elogio' y 'La esquela fatal'. En gran medida, estos poemas idealizan a las mujeres, por lo general, como una entidad inalcanzable, estrechamente vinculada a la naturaleza. En 'El silencio imposible', el emisor va un paso más allá y equipara la imagen de una mujer con la poesía: "la poesía es una mañana celeste/ desbordada de rosas,/ como tú!" (26). Antes de llegar a esta conclusión, es envuelta en imágenes complementarias. La técnica empleada tiene el mismo propósito que la pregunta retórica en los primeros versos anafóricos y apostróficos de cada estrofa:

> ¡Cómo acallar las voces
> que a tu paso me afluyen,
> si eres como un paisaje que anda,
> la fidedigna versión del crisantemo,
> y si colmas el aire de duraznos
> con tu andar! (25).

Su andar genera imágenes de la naturaleza en movimiento con el símil empleado, que evocan la imagen y el aroma de frutas y flores. Las metáforas de las frutas y la naturaleza son ampliadas en los siguientes versos, que exaltan su presencia aún más. Es equiparada a una manzana y "la forma terrestre del azúcar,/ una avenida de nardos en el busto/ y la tez de la tarde en el verano!" (25). Además de 'acallar las voces', el corazón también querría que las guitarras se silencien, para que este fenómeno pueda apreciarse plenamente.

'Última instancia' es un poema sobre la admiración no correspondida y comienza de la siguiente manera:

Despierta, dulce amiga

hace ya mucho tiempo

mi corazón está golpeando

tus aldabas (27).

Este parece ser un proceso continuo en el que el emisor no ha podido recibir una respuesta positiva de quien es depositaria de su afecto. La metáfora de 'las aldabas' es apropiada, en la medida en que la llave para resolver esta situación está, aparentemente, fuera de alcance. La siguiente interrogación es retórica:

¿Por qué tan inmutable

oyes que me destrozo

ante tus muros,

y no me abres la puerta? (27).

A pesar de que el emisor es autodestructivo frente al 'muro' metafórico, la mujer permanece inmóvil, actitud que plantea dudas acerca de su afecto y la pregunta sobre quién es el receptor de su amor y su ternura. Mientras tanto, el emisor queda humillado, arrodillado frente a la puerta de la casa de la mujer, le implora que se despierte, "¿no oyes en el fondo del sueño/ mis señales?" Aparentemente, ella no las oye y, mientras tanto, las imágenes de muros y rejas, como obstáculos al avance del emisor, permanecen en silencio.

'Elogio' representa una fusión directa entre mujer y naturaleza en un escenario romántico. Se alaba la presencia física de las mujeres y la reacción positiva del mundo ante esta presencia. El poema comienza cuando la mujer despierta y luego se concentra en sus ojos y la percepción que estos tienen de lo que los rodea. Los ojos son descritos como si tuvieran "destellos de flor de guayacán... Tienes en las pupilas estrella y caracol" (29). Luego, se concentra en el cuerpo de la mujer, descrito como descendiente de la cordillera montañosa y el rocío para, finalmente, fundirse con el río. El resultado es una imponente presencia física que estimula la vista, el sabor y el olor. El emisor amplifica y eleva su presencia mediante una serie de afirmaciones retóricas:

> ¿Cuál sería aquella fruta que te dio su acabado,
>
> qué flor te da su néctar, cuáles mieles su esencia,
>
> cuál el cañaveral que endulza tu cadencia,
>
> si cuando pasas, dejas el aire azucarado? (29).

Las imágenes de dulzura impregnan la estrofa y realzan las cualidades humanas y terrenales de su presencia. El emisor interroga su presencia y el origen (fruta, flor), mientras las vincula al producto final.

'Cuál' es la palabra interrogativa utilizada para resaltar la curiosidad del emisor (néctar, mieles, endulza, azucarado). Lo que sugiere es que ella no solo proyecta una imagen fantástica sino que, además, sería una comida apetecible. En la mente del emisor la 'curvatura', 'cadencia', 'escultura' de la mujer con "una brisa celeste ceñida a la cintura" (29) son cualidades que motivan a los artistas preocupados por la belleza natural y humana. Una omisión notoria en este poema es la mención de las capacidades intelectuales de las mujeres.

'La esquela fatal' es un tributo a un intento de amor fracasado y no correspondido. El título deja poco librado a la imaginación en relación al desarrollo del poema. El emisor se dirige al objeto de su deseo en un apóstrofe distante:

> atrás quedaron mi tiempo, mi sonrisa, mis voces
> y mis recuerdos son rastros perdidos en la arena (31).

'Si pudiera' y 'si vieras' subrayan el deseo del emisor de comunicarse con la mujer perdida y tender un puente para superar el abismo temporal y espacial. Las súplicas del emisor son desesperadas:

> ¡Qué duro este suplicio
> de saber que tus brazos
> son ya un puerto cerrado para mí,
> mientras mi corazón es como un cuarto
> del que tienes sus llaves! (31).

Hay ciertos ecos de 'Última instancia' en este poema; lo que tienen en común es la incapacidad de romper las barreras construidas por la mujer. Ambos son poemas de ausencia y añoranza en los que la búsqueda engloba tanto situaciones reales como imaginadas:

Mi amor te busca, en vano,

en la ausencia y la lluvia,

en las olas del mar, bajo innumerables soles,

en mi cita tenaz con la tristeza,

en los barrios humildes (32).

El emisor ha internalizado la pérdida (ausencia/tristeza) y la proyecta a un ambiente natural (lluvia/mar/soles/barrios humildes). Esta sensación de pérdida y añoranza se reitera en lo que resta de 'La esquela fatal', a medida que los pensamientos del emisor se extienden hacia otros tiempos y espacios inmortalizados en canciones y pensamientos, pero sin una unión, "mientras sentíamos alargarse nuestras almas/hasta el fin del mar y del crepúsculo" (32). La imagen de la muerte es amplificada en la última estrofa mientras el emisor reitera que la 'desolación' y la 'agonía' solo pueden aliviarse con el tiempo y con el esfuerzo continuo por poner en palabras los sentimientos.

Hay tres poemas dedicados a figuras reconocidas mundialmente: 'Alta flor de América' (Gabriela Mistral), 'Respondo por Eladio Medrana' y 'A un siglo de la primera luz de Lenin'. 'Alta flor de América' sintetiza la vida de Mistral y aborda el tema de la esterilidad, el amor por los niños y el suicidio. Es elogiada por sus convicciones, pero desafortunadamente, el emisor se refiere a ella como una "voz poderosa con pantalones, como la de un hombre". Por último, se rinde homenaje a Lucila Godoy "ahora que tu palabra/ es parte de la nuestra" y es reconocida "como flor de la paz" (34).

'Respondo por Eladio Medrana' es un intento del emisor por revivir la memoria de Medrana, un miembro revolucionario del Partido y un reconocido herrero y guitarrista. Se elogia a Medrana por referirse en sus canciones a varios países comunistas y a las luchas llevadas adelante en ellos:

Compañero que con las guitarras

diste tu testimonio de amor a nuestro campo,

quisiera hacer contigo un festival,

y bailar tomados de las manos un sábado

ante todos,

por Cuba sagitaria,

atrincherada en su blancas pirámides de azúcar;

por la lección de Vietnam,

cien veces muerto

y mil resucitado;

por la euforia lautárica de Chile

en su pacífica guerra desatada;

por la victoria múltiple de China

y el insomnio colorado de África (34).

El emisor intenta historizar las canciones de Medrana, al poner en un primer plano las revoluciones vietnamita y cubana, la participación de Chile en la guerra del Pacífico, el surgimiento de China y la gigante África que continúa durmiendo despierta.

"A un siglo de la primera luz de Lenin" aparece como un homenaje al líder ruso, su legado e ideología. Es una mirada retrospectiva de lo sucedido en todo el mundo después de la muerte de Lenin y del impacto que tuvo a nivel individual y a nivel de la política. Los primeros versos resumen la percepción que tiene el emisor de Lenin:

A un siglo de tu primera luz

estás en todas partes,

como el agua y el aire,

necesario;

entras a los sindicatos

por la puerta del frente o la ventana,

palpas el corazón genuino de los pobres

y enciendes sus mesas al golpe de tus puños; (23)

La omnipresencia de Lenin se observa en la empatía con los pobres y su impacto en los sindicatos, pero, principalmente, en la influencia que tuvo en los líderes y los movimientos sociales del mundo, que suscriben a su ideología. Los poemas en los que se observa esta presencia son 'Mao en China', 'Che en el altiplano ignorado', 'Camilo Torres en Colombia', 'La muerte de Lumumba', 'Fidel' y 'El tío Ho Chi Minh' (23). Los logros científicos de la época no son ignorados: 'El fulgor en Hiroshima' y los viajes por el espacio, "hiendes, pionero, el cielo con Gagarin (sic), / casi tocando las estrellas" (23). El poema 'A un siglo de la primera luz de Lenin' busca resaltar el impacto duradero de las ideas de este hombre en la sociedad contemporánea.

El emisor sigue ampliando el mito de Lenin y percibe su estatua en la Plaza Roja como verdadera y representativa del hombre mismo: "paternal, inmenso, interminable,/ un codo más largo que los idiomas" (24). El impacto geográfico de Lenin, con un pie en el Mar Negro, el otro en el océano Pacífico y abriendo caminos constantemente para el esclarecimiento, es también sorprendente. En la última estrofa, el emisor sintetiza los atributos positivos de Lenin y los equipara a los de un viejo piloto que busca revolucionar el barco, como metáfora del mundo.

Tres de los poemas de *Las huellas digitales* están dedicados exclusivamente a la naturaleza: 'Amanecer', 'Viento de agosto' y 'Así como la tierra'. 'Amanecer' caracteriza el alba de la siguiente manera:

> Una hora ambigua
> cae sobre las calles,
> todavía aplastadas
> por el sueño (49).

Luego, el emisor pasa a describir cómo esta transición temporal impacta en los ambientes humanos, no humanos y naturales. Los aromas del mercado, los niños que se despiertan y, especialmente, el mundo vegetal reaccionan a medida que una rosa se prepara para saludar al sol que asciende. La Tierra, el aire y el agua se preparan para la ocasión. Las actividades en la tierra y en el mar se describen en detalle, antes del momento en que:

> la sombra, apresurada,
> escapa a las quebradas,
> mientras el sol observa el cielo
> y alista para el cruce
> sus sandalias (50)

La hora ambigua transcurre mientras las sombras dan paso a la luz. La naturaleza es humanizada durante la transición (apresurada, escapa, observa, se alista). 'Amanecer' es un poema que ejemplifica la naturaleza cíclica de la existencia y la interdependencia del universo.

'Viento de agosto' es un tributo a esta fuerza poderosa de la naturaleza que se humaniza y forma parte de los recuerdos del emisor desde su infancia hasta el presente. El viento del verano es 'anaranjado', 'risueño' y 'retumbante'. El poeta que jugó en el viento cuando era niño, ahora observa cómo el viento "se escapa en mis hijos a la playa/ a jugar contigo y sus cometas" (52).

'Así como la tierra' se ocupa de las relaciones humanas y naturales, en particular, la unión inquebrantable entre las dos. Cada una de las cinco estrofas termina con el verso 'Así como en la tierra'. Este es un poema que cuestiona, implícitamente, la manera en que los seres humanos están ligados a la tierra y sus ciclos sin saber por qué, actitud que se revela en expresiones como "giramos encadenados", "caminamos pedestres/bajo el peso mortal de la costumbre", "nos escoramos en vaivenes insólitos/bajo el influjo de lunas descollantes" (53). Estas actitudes plantean preguntas existenciales acerca de la alienación de los seres humanos y la idea de la existencia de poderes superiores que controlan el universo.

La muerte y la violencia son temas recurrentes en *Las huellas digitales,* como puede verse, por ejemplo, en 'Al fondo del algunas cosas, un fusil' y 'Otra vez la muerte'. Cada estrofa del poema anterior termina con la coda "con un fusil". Es un poema inconexo que equipara el arma de fuego a la pobreza y la revolución en todo el mundo. Cuba opera como el principal modelo para el cambio. El 'yo' testigo conecta la situación local donde está el fantasma constante de la pobreza y la violencia. En el país, "el llanto de todos los niños pobres" aumenta y en el extranjero "todas las ciudades bombardeadas" (16). Para el emisor, Cuba representa un modelo de cómo la violencia revolucionaria puede aliviar algunos de los síntomas de la pobreza ya que "las batallas de todos los pueblos del mundo/son fraternas" (16). Se presenta la imagen de José Martí que sueña con la libertad, con un arma de fuego como alternativa.

'Al fondo de algunas cosas, un fusil' termina con un tono pesimista que evoca la opción extrema para el cambio social:

Veo una mano terrible,

excomulgada

—las manos de todos los pueblos

son las mismas, y siempre excomulgadas—

y observo que esa mano desprovista

hoy busca en todas las latitudes, un fusil (17).

Expulsados, desconectados religiosa y secularmente, la única alternativa al *status quo* es la violencia y la revolución.

'Otra vez la muerte' habla de la omnipresencia de la muerte y su naturaleza ubicua. Los versos iniciales marcan el tono: "Hay alguien/ que me sigue a todas partes" (45). El emisor luego se embarca en una documentación de la presencia de la muerte en todo el mundo, al relatar experiencias personales y colectivas. A diferencia de la mayoría de los otros poemas de este volumen, algunos episodios tienen un tono surrealista, en momentos en que el emisor está entre el sueño y la vigilia. También se destacan los encuentros con la muerte en la Antártida, el África y Asia. Está allí desde la infancia:

Una tarde

por caminos antiguos, ya perdidos,

volví a la zona abandonada

de la infancia,

y él siguió los rastros en el polvo

del caballo de palo que montaba (46).

hasta la muerte:

Una vez

marchaba él

a la cabeza transparente de un sepelio

y me espiaba

cuando arrojé a la fosa

un poco de mi corazón

bien decantado,

se colocó a mi lado

y me ayudó (46).

Este poema aborda el tema del paso del tiempo, tras el cual subyace la idea de que la vida no es más que un viaje hacia la muerte, un destino inexorable.

El libro finaliza en consonancia con el título del poema, 'Las huellas digitales', que representa la impronta retórica implícita en la selección. En ese sentido, este poema aborda el proceso creativo como si estuviera "en luna de miel/ con la Poesía" (55). El emisor narra un trámite burocrático, episodio central del poema. Luego de indagar quiénes eran sus antepasados y su estado civil, el comisario se prepara para tomarle las huellas dactilares y una niña interviene con una pregunta:

¿de veras no conoce

sus huellas digitales?

¿No las ha registrado?

Están en sus palabras

en todo lo que sueña (56).

Ella continúa con una elaboración anafórica de los temas y el contenido de la poesía del emisor: rincones, sonrisas, caminos de montaña y abrazos, entre otros. El emisor responde: "Yo iba a añadir/ y en mi lápiz,/ hasta la eternidad comprometido" (56). A la pregunta del comisionado 'quién habla' el emisor y la niña sonríen porque ella es la Poesía y "nos escapamos/ y nos fuimos de brazo/ por un largo camino hacia las nubes" (57).

El emisor como artista deja una impresión, un rastro digital, una firma poética ya sea verbal o escrita. *Las huellas digitales* es un testimonio de la creatividad de Nelson Estupiñán Bass, cuyos versos transforman las experiencias en imágenes que interpretan el contexto ecuatoriano y mundial.

Las tres carabelas: poesía, relato, teatro (1973)

Las tres carabelas contiene trece poemas organizados en dos secciones: 'El póker de la patria', que consta de un poema, y 'Cuestionario' de doce. 'El póker de la patria' es una narrativa directa, de naturaleza épica, mientras que 'Cuestionario' es esotérica y de tono existencial.

'El póker de la patria' usa la metáfora del juego de cartas para resaltar los logros de cuatro ases, héroes nacionales del *ethos* del país. La sección 'Cuestionario' incluye: 'La búsqueda de la piedra filosofal en la poesía', 'Doy media vuelta esta tarde en mi rellano', '¿Cuándo fue nuestra alba atolondrada?', '¿Dónde estuve aferrado, temblando, en el deshielo?', 'Para ensangrentar las marquesinas de la aurora', 'Trashumante naranja que flotas en el río', 'El rosado capullo de la infancia', 'El tiempo boca abajo', 'Un gigantesco acorazado microscópico', '¿En qué desfiladero tomó la palabra su hervor perpendicular y sus cuchillos?', 'Debe haber una luz al otro lado' y 'La puerta redonda de un disparo'.

Los poemas de 'Cuestionario' abordan, fundamentalmente, el tema de las relaciones entre los seres humanos y el universo y sus títulos anticipan su complejidad, tanto en forma como en contenido, y complejizan su interpretación.

'El póker de la patria' resalta las contribuciones positivas de cuatro figuras ecuatorianas legendarias, Rumiñahui, Eugenio de Santa Cruz y Espejo, Juan Montalvo y Eloy Alfaro. Rumiñahui, guerrero y líder inca, dirigió la resistencia contra la invasión española de 1533 a 1535. La sección 'Canto' del poema se ocupa de sus hazañas. Se lo describe como un "varón a mediodía"/ "Cúspide fulgurante de su raza"/ "Trueno, relámpago y centella"[11] y como un baluarte protector contra las armas, los caballos, la religión y la avaricia de los españoles. "¡Todos a la batalla!"/ "¡Esta tierra es nuestra,/ y siempre lo será!" (9) es la consigna de Rumiñahui, que les implora a sus seguidores "¡Quemémosla!" (con el método de tierra quemada) y "¡Quebrantémoslos!" porque, en última instancia, los españoles "¡Son malos, traidores,/ ladrones, violadores, asesinos!", cobardes que además veneran a falsos dioses.

Rumiñahui es el primero de los cuatro ases ganadores de la partida de póker histórica del país. En 'Canto II' él es quien supervisa la quema de Quito para salvar la ciudad de la ocupación española ("un acto indígena de fe a la libertad") y también la ejecución de las vírgenes del sol. A pesar de la valentía, la resistencia y los sacrificios de Rumiñahui y su pueblo, el resultado fue un "largo silencio encadenado" (10).

El segundo as de la partida de póker patriótica es Eugenio de Santa Cruz y Espejo, caracterizado en 'Canto III' de la siguiente manera:

> Espejo desentierra, clandestino
> el hacha de los incas,
> y trueca por el bisturí y la pluma

---

11 Nelson Estupiñán Bass, *Las tres carabelas: poesía, relato, teatro (Portoviejo:* Editorial Gregorio, 1973): 8.

su coraje.

...

una bomba de tiempo bajo el silex...

nuestra raíz más larga y más profunda.

...

el resplandor mestizo en la Colonia,

y en primera piedra de la Patria (10).

Eugenio de Santa Cruz y Espejo, que desentierra el hacha, es producto del intercambio biológico entre pueblos indígenas y españoles, un *mestizo* con sentido de justicia social. En 'Canto III' se lo presenta como un individuo que resistió la colonización española y abogó por el progreso cultural. Dado su carácter mestizo, representa las raíces de la identidad étnica ecuatoriana.

En 'Canto III', la descripción de Santa Cruz y Espejo supera la de un revolucionario de libro de texto. Soñaba con un mundo sin maldad y deseaba un giro radical en las sociedades de toda América. En referencia a los años que Santa Cruz y Espejo estuvo en la cárcel (1787- 1795) por criticar a las autoridades del gobierno, el emisor afirma:

Tengo dentro de mí cierto testigo

que compartió en él su calabozo,

¡Qué admiración tan pura producía

allí encerrado (11).

Era uno de los ases dispuesto a arriesgar su vida y libertad para mejorar el Ecuador colonial.

En 'Canto IV' Juan Montalvo, el tercer as de la partida de póker patriótico, es caracterizado de la siguiente manera: "Montalvo es el trueno

seco de los Andes."/ "Fogoso gladiador de la palabra" (12). Posteriormente, se lo compara con Don Quijote, "y pluma en vez de lanza,/ caballero
a pie y sin armadura" (12). Montalvo, al igual que Santa Cruz y Espejo,
es un guerrero de las palabras, un 'soldado civil', que criticó las dictaduras
ecuatorianas y se exilió en Colombia. A lo largo de 'Canto IV' Montalvo
mantiene una postura heroica:

> Con su pluma en mangas de camisa,
>
> sale a la plaza, a todo sol,
>
> y enfrenta la espada y su amenaza (13).

Luego, el emisor avanza con una serie de preguntas retóricas que
dan fe de la valentía y los riesgos que asumió Montalvo frente a la oposición, sin comprometer su integridad. ¿Quién, entre ellos, escribiría
llamando las cosas por su nombre, como los hizo Montalvo? El emisor
le implora a la sociedad que esté a la altura de los valores que proclama
este patriótico as.

Montalvo y Santa Cruz y Espejo tienen en común el hecho de
que ambos creían, durante el colonialismo y la época represiva posterior, que la pluma era más poderosa que la espada y utilizaron su retórica para aliviar algunas de las presiones dirigidas a las masas, propias
de esos sistemas.

Eloy Alfaro, en 'Canto V', es el as de diamantes, la carta más
alta del maso de póker, es decir, un hombre de acción: "Alfaro es
Montalvo con fusil,/ España machacada en América" (14). Sus acciones son legendarias: como amigo de Montalvo, Alfaro llevó la
teoría a la práctica en sus batallas contra la tiranía. Revolucionario
desde temprana edad, fue presidente de Ecuador dos veces (1895-
1901/ 1906-1911), fue derrocado, estuvo exiliado, estuvo en la cár-

cel y, finalmente, fue asesinado. Gran parte de esta historia de vida es interpretada en 'Canto V'.

Su encarcelamiento y asesinato se resaltan en este segmento del poema: Alfaro es llevado a la cárcel "un domingo de sangre inolvidable/—el viernes santo ecuatoriano". Los datos históricos indican que una multitud invade la cárcel donde Alfaro y otras personas estaban encerrados, los asesinan y los queman. El emisor tiene una idea diferente:

> Dicen que en el Ejido
> el pueblo quiteño lo quemó.
> Yo lo niego, rotundo:
> ¿Cuándo un pueblo
> mató a su Adelantado?
> ¿Cuándo las llamas
> quemaron otra llama? (15)

Aquí chocan la realidad y la ficción. Alfaro en efecto tiene esta horrible muerte, pero para sus seguidores la historia tiene un final distinto:

> Alfaro escapó de la fogata,
> ileso,
> subió a la inmortalidad,
> y desde entonces
> anda por todas partes conspirando (15).

En la imaginación popular, Alfaro escapó de su destino, emergió como un héroe, su espíritu impregnó la nación y continuó la lucha por la liberación. Una vez muerto, Eloy Alfaro es elevado a nivel de mito, figura unificadora para quienes vieron sus aspiraciones representadas por él. La última estrofa describe la batalla *post mortem* de Alfaro y su participación imaginaria en la lucha de las masas por ganar poder en la sociedad.

Eloy Alfaro tiene más en común con Rumiñahui que con Espejo o Montalvo, los otros ases. Los dos primeros fueron guerreros en el sentido literal del término y sus vidas fueron su mayor sacrificio. 'El póker de la patria' elogia las virtudes de los héroes nacionales que tuvieron roles importantes en los destinos del país, desde el encuentro con España hasta el presente. Este poema es una metáfora de la evolución de Ecuador a lo largo de los siglos y destaca los riesgos que corrieron sus héroes.

En 'Cuestionario' todos los poemas abordan el tema de la naturaleza de la existencia humana, excepto el primero, 'La búsqueda de la piedra filosofal en la poesía', un poema que intenta definir la esencia de este género. En este poema, el emisor está buscando la llave a la creatividad, ya sea en la mitología, la ciencia o la religión, y afirma:

> fui argonauta.
> Volví desencantado
> luego de una reyerta con Jasón
> ...
> fui alquimista
> Hace ya muchas muertes
> mías
> de todo esto (16)

Plantea luego, en búsqueda de inspiración, una pregunta fundamental: "—¿sería Dios?". Por último, no hay una explicación lógica del proceso creativo, de manera que el emisor se deshace de fórmulas, ansiedades y modelos destinados a encontrar la escurridiza 'piedra filosofal'.

Después de su intento fallido de definir la poesía y el proceso creativo, en los poemas restantes el emisor se ocupa del lugar de los seres humanos en el universo. Como indican los títulos de dichos poemas, la naturaleza del origen del ser humano y su existencia constituyen el seno temático.

'¿Cuándo fue nuestra alba atolondrada?' es representativo de los otros poemas de la sección porque contiene muchos de los motivos presentes en ellos. El poema comienza, "¿De dónde, hasta cuándo?" y continúa:

> ¿De dónde procedemos,
>
> cuál el punto de arranque,
>
> el minuto y la plataforma del despegue,
>
> dónde, el horizonte provisional y sin apoyo,
>
> el cataclismo inaugural,
>
> nuestra alba atolondrada,
>
> el estruendoso pujo de la Tierra
>
> al romper su cordón umbilical,
>
> el primer zarpazo
>
> cuando éramos indivisos todavía
>
> qué día,
>
> divorciado con nostalgia del agua,
>
> deambulé forastero en la playa,
>
> cuál, la primera cueva
>
> que albergó nuestro miedo,
>
> dónde, el primer templo precario
>
> y nuestra lanza? (18)

El emisor aborda retóricamente el tema del origen del ser humano y del mundo en el marco más amplio de la evolución. 'De dónde', 'cuál', 'dónde', 'qué' son palabras interrogativas empleadas para cuestionar el pasado y el presente de la humanidad, desde el 'big bang' inicial y universal al surgimiento de la vida en el mar, la búsqueda de refugio y la supervivencia y la adquisición del lenguaje oral. Esta estrofa sintetiza gran parte de la experiencia humana en Tierra mientras que los versos finales aluden al destino que aún se escribirá.

'¿Dónde estuve aferrado, temblando, en el deshielo?' es otro poema que se pregunta no solo por los orígenes de los seres humanos sino también por los de la Tierra. El emisor se presenta como alguien surgido de un deshielo, pertrechado para la violencia, como reflejo de la naturaleza humana, que anticipa la discordia. Sin embargo, lo que emerge en el final es un cuestionario, al estilo de cuentos de hadas, sobre los orígenes de la Tierra:

> ¿No es, acaso, la Tierra
> el fruto del amor de dos planetas,
> que tuvieron su luna de miel en el espacio,
> se tiraron las estrellas a la cara,
> y se perdieron luego entre las nubes? (19).

Lo que comienza como un cuestionario surrealista acerca del papel que tienen los seres humanos se transforma en un intento de humanizar esta entidad.

A pesar de esto, el destino humano sigue siendo cuestionado en poemas como '¿para ensangrentar las marquesinas de la aurora?', una aproximación surrealista a la pregunta sobre el destino:

> ¿Avanzará la especie
>
> apoyada en sus pobres bastones,
>
> sobreviviremos
>
> en esta amenazada túnica de oxígeno
>
> o alguien enterrará nuestra Tierra
>
> en otra tierra... (20).

¿La especie humana avanzará, sobrevivirá o quedará absorbida, junto con la Tierra, por una entidad desconocida? Esta es una preocupación existencial que está presente desde que los seres humanos advirtieron su relación con el cosmos.

Esta preocupación acerca del funcionamiento del sistema solar también es evidente en 'Trashumante naranja que flotas en un río', que se vuelve una metáfora de la creación del universo, cuando se formula la pregunta: "¿dónde yace la mano que te lanzó al vacío?" (20) La pregunta se refiere al sol, que está ligado inextricablemente al destino humano: "iré donde decidas, pues soy tu pasajero" (21). El sol es interpelado en un estilo apocalíptico en 'El tiempo boca abajo'. Es un soneto, de naturaleza apostrófica, que en el primer cuarteto se pregunta por el origen del astro:

> ¿quién atiza tus hornos?, debajo o atrás
>
> de tu luz y tus brasas, ¿qué hay, quién está? (23).

y en el terceto final, se reflexiona sobre la muerte de este padre de la tierra y testigo del origen:

> cuando con tu bastón desciendas de la cumbre,
>
> y la Tierra, sin freno, ruede al fin del abismo,
>
> ¿no llorará tu padre, tendido boca abajo? (23).

No está claro si 'tu' es el pronombre posesivo o el pronombre personal. Tal cómo está escrito, sugiere que el Padre Sol debe responder a una entidad en un plano superior.

Este constante cuestionamiento sobre los orígenes y el destino de los humanos y el universo conduce, inevitablemente, al fenómeno de la alienación, un motivo que recorre la mayoría de los poemas. En 'El rosado capullo de la infancia' relata el proceso de extrañamiento desde la infancia hasta la adultez. Inicialmente, el emisor invoca a un padre y a un madre y sus roles durante el embarazo, el nacimiento y la infancia. El punto de vista del emisor es retrospectivo y se focaliza en el pasado como adulto. El emisor plantea preguntas cruciales en relación a los orígenes y la presencia del poeta que existe, pero no entiende cómo ni por qué. Los padres se sienten culpables por no plantear las mismas preguntas existenciales, tales como:

> ¿Quién puso la primera piedra,
> cómo logro consolidarla,
> dónde?
> ¿Cuál, el primer río
> que hundió su ambulante cuchillo en la pradera? (22).

Estas preguntas retóricas se refieren a las piezas fundamentales en la construcción de la Tierra y a la falta de comprensión del emisor. Los interrogantes continúan en relación a la Tierra, las nubes, la luna, el alfabeto, los números, las estrellas y los cielos. El emisor expresa que hay una vida de extrañamiento de los humanos en relación con el mundo que ocupan. Este ha sido un tema recurrente a lo largo de la poesía.

En este proceso, el emisor, ya adulto, desafía las bases de la alfabetización:

¿Quién colocó bajo la lengua

—tan lejos y tan cerca—

el alfabeto?

¿Se llamaba Pedro o Juan

el genial traficante

que arrojó la rueda del cero

por el mundo? (22).

Los comienzos de la escritura y las matemáticas son otros de los misterios que el emisor desea descifrar. A pesar de que no hay una respuesta aparente a estas preguntas, ignorar aísla aún más al emisor de los otros y del mundo.

Las alusiones a la creación del universo, la construcción del sistema solar, el origen y el destino de la raza humana y el extrañamiento de las personas de sí mismas, de otros y de la sociedad lleva, en última instancia, a preguntarse por la existencia y el rol de Dios. Esta pregunta está formulada en "Debe haber una luz al otro lado", en donde el emisor afirma:

pues todos los dioses sucesivos,

tras sus ferias,

ruedas moscovitas y pancartas

carcomidas

por la eternidad precaria del gusano,

fueron inevitablemente devaluados,

y, puestos entre la espada y la pared,

se rindieron al hombre (25).

La actitud expresada aquí es que los dioses tienen su tiempo de gloria y adoración, pero al final están sujetos al deterioro que provoca el tiempo y son bajados a la tierra. Finalmente, los seres humanos son quienes determinan su valor y su influencia, porque sin ellos los dioses no existirían. Pero el emisor mantiene la idea de que "tiene que haber una luz del otro lado", una pista, un pasaje, un destello de luz, algo sobre la tierra o dentro de ella que resuelva el enigma que ha permanecido sin explicación durante milenios.

'La puerta redonda de un disparo', el último poema de la sección 'Cuestionario', intenta abordar las preocupaciones planteadas en la mayoría de los otros poemas:

> ¿O estarán las respuestas
>
> que tanto nos apremian,
>
> sobre todo cuando el sol
>
> capitula en la tarde,
>
> estarán,
>
> tras la puerta redonda de un disparo,
>
> al cruzar nuestra almadía las últimas aguas,
>
> o el silencio, la sombra y el reposo
>
> contestarán en coro,
>
> desde las movedizas avenidas del polvo,
>
> el cuestionario? (26).

Las respuestas al cuestionario, presentado a lo largo de esta sección, sobre las relaciones entre los seres humamos, el universo y un poder superior no son suficientes. Para el emisor queda la duda acerca del futuro (¿habrá una respuesta o responderán?). Al tiempo que se exponen estas preguntas, el planeta parece estar atrapado en una espiral descendente, donde el atardecer aparece como una rendición, el cruce de las últimas aguas, con alusiones al silencio, la oscuridad y el descanso, todas imágenes de la muerte. El cuestionario también será respondido en un estilo coral desde las polvorientas calles inestables. La única certeza futura para esta indagación es la muerte.

Finalmente, los interrogantes existenciales básicos en relación a la poesía y la humanidad, que sirven para unificar e intentar responder el 'Cuestionario', título de la sección, se encuentran "¿En qué desfiladero tomó la palabra su hervor perpendicular y sus cuchillos?" Las preguntas planteadas en el poema van desde '¿Quién creó el tiempo?' hasta una aproximación diferente al paso del tiempo; "¿cuándo, a qué edad, aprendió el crepúsculo a jugar, al son de las campanas, a la gallina ciega en las colinas?" (24). La manera en que todas estas preocupaciones desencadenan una respuesta poética parece ser un misterio para el emisor que pregunta:

> ¿Por qué, a veces, confluyen en el alba los aludes del sueño y la vigilia,
> y se integran después en el pacífico vendaval de la poesía? (24).

El emisor intenta responder las preguntas básicas planteadas a lo largo de 'Cuestionario' en relación a la construcción de la poesía, ya sea a través de un prisma surrealista onírico, como en muchos poemas, o mediante la observación directa. Más allá del método, el mensaje debería ser inteligible. Sin embargo, en algunos casos en este volumen, se ponen a prueba los límites de la imaginación.

Las dos caras de la palabra poesía (1982)

En la introducción a este texto, Euler Granda señala un doble eje, la naturaleza y la existencia humana, y ofrece los siguientes comentarios:

> En 'Sinfonía verde', el suceso poético se abre paso a través del bullente proceso de la naturaleza y del imperceptible resuello vegetal: Su preocupación por el incierto destino del hombre adquiere en su voz características dramáticas, que nos confrontan con la flagrante contradicción de un cientismo y una tecnología deshumanizada que inconscientemente nos están serruchando el piso y nos arrastran a la destrucción total.[12]

Esta valoración capta en pocas palabras las tendencias temáticas contenidas en los poemas de *Las dos caras de la palabra*. Mientras que los títulos de cada uno de los poemas ofrecen algunas especificaciones en cuanto al contenido, la naturaleza y su impacto sobre las personas, que se esfuerzan por definir su lugar en el mundo, son inseparables. El título *Las dos caras de la palabra* sugiere cierta ambivalencia sobre el tema en cuestión.

'Sinfonía verde', mencionada anteriormente, inicia una serie de poemas que exaltan las virtudes físicas del entorno a la vez que advierten sobre el impacto humano negativo. Este poema comienza como una especie de mito de creación y acentúa la naturaleza simbólica del esencial color verde. De acuerdo con *The Complete Dictionary of Symbols* está "[u]niversalmente asociado a la vida vegetal (y por extensión a la primavera, la juventud, la renovación, la frescura, la fertilidad y la esperanza), el color verde ha adquirido una

---

12 Euler Granda, "Nelson Estupiñán Bass y *Las dos caras de la palabra*", en Nelson Estupiñán Bass, *Las dos caras de la palabra* (Esmeraldas: Banco Central del Ecuador, 1982): 9-10.

nueva resonancia poderosa y simbólica como emblema moderno de la ecología".[13]

El uso que Estupiñán Bass hace del color verde como emblema de la ecología es evidente a lo largo de varios poemas de esta colección.

Comenzando con 'Sinfonía verde', el emisor teje una mini épica e incorpora la importancia mítica y ambiental de este color. El poema comienza con una imagen del mundo creado:

cuando un rayo verde
...caído
del infinito bolso de la luz,
vino a nosotros
como una ll
    u
    v
    i
    a
exclusiva
singular,
inacabable,
y se quedó en nuestra comarca
para siempre[14]

Este cataclismo se convierte en la construcción mítica de la creación de Adán y Eva en el marco del color verde como fertilidad y esperanza:

---

13   Jack Tresidder, General Editor, *The Complete Dictionary of Symbols* (1995) (San Francisco: Chronicle Books, 2005): 213.
14   Nelson Estupiñán Bass, *Las dos caras de la palabra* (Esmeraldas: Banco Central del Ecuador, 1982): 37. Citado en lo sucesivo.

Por eso nuestro Adán

tuvo principio verde,

tan verde que,

confundido con la tierra,

indiviso,

empezó sus traspiés

con ella amalgamado (37).

Adán es presentado como producto de la Tierra, en la que 'ella' está indisolublemente ligada a él y al escenario verde de los orígenes humanos. Están inmersos en un universo verde a través de una metáfora extendida que abarca el mundo natural e incluye el nombre del lugar de origen del poeta:

Esmeraldas la bautizaron

la cruz y los caballos a su arribo,

por aquella verdura obsesionante

que fue para ellos otro embrujo (39).

El nombre de la provincia de Esmeraldas deriva de la esmeralda, que representa "Regeneración y fertilidad, simbolismo probablemente basado en el color verde de este berilo" (Tresidder, 169). El verdor de Esmeraldas no se limita a su belleza física sino a otros aspectos culturales también, especialmente donde hay un sincretismo cultural:

rivales en contrapunto verde

la guitarra española

y la marimba África (39).

Combinadas con la flauta indígena, forman la esencia de la música y la danza popular ecuatoriana. Este elogio al color verde y su amplio impacto representa gran parte del pasado. En el presente está la simbólica caída en desgracia con la aparición de 'el Malo entre nosotros' (40), que desata una añoranza por el pasado, un regreso al Paraíso:

¡y volver, aunque en sueños,
al lejano barrio de la infancia!—
pensamos que cada hombre
iba a ser un Adán,
cada mujer, una Eva (40).

Pero este regreso simbólico a los orígenes no se puede lograr en la medida en que el pasado imaginado esté completamente en conflicto con el presente.

'Pero ahora' comienza una secuencia de versos que denuncian la destrucción de la flora y la fauna, la vida vegetal y animal. En un apóstrofe apasionado, el emisor desafía al lector: "Averiguad al bosque", "indagadle qué se hizo el colibrí", "Preguntad al aire/ intoxicado y tambaleante/ qué fue de las luciérnagas" (41-42), en un esfuerzo por llamar la atención sobre la destrucción del medio ambiente. La última súplica del poeta es:

Y si vais por allí
leed estos versos,
grabados en el tronco
de un agonizante guayacán (43).

Esta transición de una utopía a una distopía se escribe sobre la superficie de la naturaleza, donde el guayacán es su símbolo más poderoso. Un soneto es luego dedicado a este árbol, "el más bello león de clorofila" (43), hoy víctima de una maldición: "la petrolización / que acabará contigo, conmigo y con la Tierra" (43). Otra presencia majestuosa es el río Taone que también se encuentra en riesgo:

Bajad y ved al cauce enfermo

de este río

que antes tuvo buena salud,

...

su corriente manchada,

los féretros de peces

en la arena,

...

probad su agua envenenada (43).

Según el emisor, la industria petrolera es responsable de las atrocidades cometidas contra el medio ambiente en general y el río en particular. Esto resulta en su destrucción y pérdida de vitalidad. El imperialismo ecológico es la causa madre del paso de la esperanza ejemplificada con la metáfora del color verde a la última, con un funeral.

'Epístola del mirlo trashumante' está escrito en el mismo estilo que 'Sinfonía verde'. Narrada en primera persona desde el punto de vista de un mirlo, la epístola recorre la trayectoria de una familia de aves desde su comienzo feliz hasta su destrucción por fuerzas no naturales. Su vida edénica en la Provincia Verde es interrumpida "Cuando llegaron hombres ansiosos, en alud,/ que, con hachas, tractores y con sierras mecánicas,/ derribaron el laurel y mil árboles más./ Murieron nuestros hijos, después mi compañera" (44). El responsable de estos actos es situado en un contexto más amplio: "¡Qué obnubilado y sordo el corazón humano,/ incapaz de escuchar el llanto de la tierra" (44). La sensación de pérdida y destrucción produce un impacto profundo en el mirlo como emisor: "soy un desarraigado, soy el pájaro errante" (45). El sufrimiento del mirlo refleja el de los humanos, que también se encuentran sufriendo el impacto del imperialismo ecológico.

Sin hogar y aislado, el emisor culpa directamente a quienes facilitaron la destrucción y las herramientas. A uno de los culpables se lo llama "nuevo Atila", "fatuo emperador" y, por último, "el Malo/el Monstruo,/ el Diablo,/ moderno Polifemo redivivo" (45). Oculto en imágenes mitológicas de tierra quemada y violencia, los instrumentos de esta entidad son formidables y crean una pesadilla en Esmeraldas:

> el flamante dinosaurio de hierro
>
> ensuciando con su estiércol
>
> nuestro cielo,
>
> el verdugo implacable
>
> que puso soga al cuello
>
> de un inocente pueblo (45).

Aquí se hace referencia a la quema de gas natural para refinar el petróleo, un proceso que destruye la capa de ozono y contamina el medio ambiente. Las palabras del "nuevo Atila", "el verdugo implacable" y las acciones de sus instrumentos de destrucción son inseparables. El hecho de que las máquinas estén humanizadas no disminuye su impacto:

> apoyando sus sacrílegas patas
>
> en su macabra cibernética de hierro,

y arrojando incansable

su venenosa polución

de humo y candela (45).

En los últimos versos, el emisor se refiere al responsable de los problemas resumidos en el poema como un abominable robot moderno: "Refinería Estatal de Petróleo en Esmeraldas" (46). Como en muchos casos, el
dinero está por encima de las preocupaciones ambientales. La exploración
y la producción petrolera son responsables de gran parte de la contaminación y la deforestación en Esmeraldas, tema que continúa en 'Ya no son las
aguas puras que bajan del cielo'.

Este poema es una protesta más fuerte contra la industria petrolera, sobre cuyo efecto el emisor alerta a los lectores, a quienes informa
de la "coraza de ozono/ acribillada" y su impacto

a este aire

que no es el aire antiguo

a las aguas

que ya no son las aguas puras

que bajan del cielo

al cotidiano pan envenenado

y al petróleo

que es la clara maldición de Dios

para la Tierra (48).

La capa de ozono, el aire, el agua y los cultivos están amenaza-
dos por los beneficios a corto plazo que se obtendrán de la industria petrolera. Pocas personas se benefician, pero la mayoría sufre
las consecuencias de la destrucción del medio ambiente. 'Sinfonía

verde', 'Epístola del mirlo trashumante' y 'Ya no son las aguas puras que bajan del cielo' son poemas que protestan contra la avaricia humana y la falta de entendimiento y respeto por el entorno natural. Estos poemas se construyen sobre un soporte mítico que pone en primer plano el arquetípico color verde como centro de la flora y la fauna de Esmeraldas.

'S.M. el Miedo' es el título de la otra sección de *Las dos caras de la palabra*. El tema principal de estos poemas, mencionado por Euler Granda en los comentarios introductorios, es el destino incierto de los seres humanos debido a la naturaleza contradictoria de la ciencia y la tecnología deshumanizante. Estas observaciones coinciden con las preocupaciones existenciales de gran parte de la poesía de Nelson Estupiñán Bass. Uno de los temas principales es el origen de la vida humana. En 'Los frágiles ángulos del rayo', el emisor atribuye este fenómeno al océano:

sin voz ni miembros todavía

emergió mi antepasado entre las olas

para reptar medroso

entre los caracoles y las piedras (50)

La idea de evolución humana que tiene el emisor empieza en el océano, pasa a la fase reptil y llega a la fase de mamífero erguido. A lo largo de estos poemas, detrás de las preguntas sobre los orígenes y la presencia, hay alusiones permanentes a un poder superior no nombrado que controla el universo.

El poema 'Y en el instante ambiguo que parte la noche en dos mitades' enfatiza este misterio. El emisor se dirige a un 'tú' indefinido que está en una posición de poder, pero no es comprendido:

Me obnubilas

pero te veo patente en los reflejos

de la tormenta vespertina

cuando toca a dos manos

el cununo mayúsculo del trueno (53)

El sujeto sobre el que comenta el emisor no es identificado y su descripción es ambigua, más bien negativa. Las tres estrofas describen a los seres humanos a menudo en discordancia con su entorno. El emisor queda confundido cuando las funciones del universo permanecen sin explicación, dado que el mismo que controla el trueno es el "que parte la noche en dos mitades" (54), es decir, tiene la capacidad de determinar el día y la noche.

Hay un grado de incertidumbre, de temor en el tono de estos poemas. Esta actitud guarda relación con el título de esta sección, 'S. M. el Miedo', que aborda las preguntas sobre la existencia humana presentadas en la mayoría de los poemas que conforman esta selección. No solo hay una interrogación sobre los orígenes, sino también sobre la existencia y el destino de los seres humanos. Estas ideas se captan mejor en el poema 'Los encantos del beso en las deleznables aristas del crepúsculo'.

Este poema comienza en el tiempo presente con un 'nosotros' colectivo que se encuentra en una rutina diaria opresiva:

agobiados

con el miedo entre el pecho y la espalda

en los ojos

el aliento

la sangre

y las pisadas (51).

Están agobiados por el miedo que se infiltra en todo su ser. Pero no es solo miedo del presente, sino del futuro también: "temiendo que de pronto/ se nos quiebre el camino/ y quedemos a tientas" (51). Están sin rumbo en un mundo indiferente. El emisor aborda el aislamiento del entorno físico y la sensación de pérdida asociada a la situación. Hacia el final de este poema, hay una letanía de cosas que están ausentes en la vida, tales como el diálogo, el amor, el crepúsculo y el cambio de estación. Lleno de miedo y aislado, el emisor visualiza un universo indiferente:

> Y se apaguen las luces
>
> para volver la Tierra
>
> traducida a su idioma original
>
> al maternal regazo del principio (52).

Este poema plantea preguntas sobre la existencia y el lugar de los seres humanos en el universo y sugiere un retorno final a su origen. La preocupación por este tema se articula directamente en 'Los rieles retorcidos del iracundo huracán descarrillado'. Una serie de interrogantes persisten a lo largo del poema. En la primera estrofa: "¿Cuál tu lugar de origen/ de qué errante archipiélago arrancaste/ dónde te pegaste/ qué instante te adheriste/ qué rato crucial te amalgamaste?", las preguntas van mucho más allá de rieles retorcidos y huracanes, a medida que avanza en la estrofa final, donde la respuesta se vuelve evidente. 'Fusionaste' y 'acoplaste' son las imágenes que unifican el cielo y el océano para producir un niño multicolor, símbolo de la Tierra, que emerge "desde el útero" (49).

La imagen del miedo inunda la mayoría de los poemas de esta sección, en consonancia con el título. El miedo se vincula con lo desconocido más directamente en los trabajos del final. Por ejemplo, "nosotros en el bosque imitando su danza del ombligo en el ciclón" refleja esta tendencia. El emisor pregunta:

Pero
¿qué hubiera sido de nosotros
sin este soberano
sin el Miedo? (56).

El miedo parece ser un componente esencial a la existencia. El emisor continúa preguntando cuál es el papel de este anónimo ser supremo en la evolución y el destino humano. Lo que ocurre sin su magia ni su discreción se responde en la última estrofa:

¿...si no mantuviera sofrenadas
las bombas de cobalto y de neutrónico
en su dormitorio de los misiles
los gases letales con cadenas
y obturada la mente enloquecida? (56).

La sensación de miedo del emisor es desatada por la realidad de estas armas de destrucción masiva y la posibilidad de que una mente depravada las ponga en uso. El miedo se equipara a la muerte en este poema, que comienza con una alusión al 'miedo universal' y termina durante el proceso creativo con "veo a la Muerte en jarras/ guiñándome los ojos/ y entonces/ por igual se me espeluznan" (57).

Esta metáfora del miedo se relaciona con otras circunstancias concretas que rodean a una joven madre y su hijo con un futuro incierto. El emisor es consciente "del mismo miedo al miedo/ y del incierto esbozo/ del clan en nuestras manos" (56). En este contexto se cuestiona el destino de la humanidad. El miedo de traer niños a este mundo se articula desde el primer poema de esta sección, en el que el emisor concluye:

me estremezco al ver la Tierra

tras el febril concilio,

de bombas gases y misiles

levantando su propio catafalco

entre las nubes (48).

La Tierra es retratada como un ataúd, debido al impacto de las armas ante el fracaso de los tratados de paz. Esta visión apocalíptica del universo se repite en varios poemas. Es interesante que se nombre a 'Dios' solo dos veces a lo largo de esta sección, a pesar de las numerosas alusiones a un ser omnisciente. La más poderosa ocurre en:

¿no está Él parado en el umbral

con su espada de fuego fulminante

amenazándonos

diciéndonos

con voz severa entre los dientes

su roTunda advertencia

De aquí no pasarás? (58).

'Él' es una presencia implacable e intimidatoria que no muestra piedad. Esta imagen guarda relación con la de la mitología cristiana de San Pedro en las puertas del cielo, controlando la entrada. 'Él' también puede relacionarse con Dios, la poderosa presencia a la que se alude a lo largo de *Las dos caras de la palabra*. Esta actitud hacia el poder y el control también es clara en otros poemas, entre ellos 'Su impertérrita sombra obligatoria'.

Un tema que recibe escasa atención en este volumen es la experiencia de los negros. Esto es entendible, dada la preocupación que se expresa por el origen y el destino de la humanidad, que incluye todas las etnias. 'Y al fondo reconfortante del recuerdo' sí se ocupa de la diáspora africana en el continente americano. El emisor le habla a un 'tú' indefinido, al que le cuenta experiencias históricas:

> Acompañaste a Colón
>
> en su sextante
>
> a Bolívar
>
> en su cabalgata
>
> por la gloria y las nubes
>
> a Lincoln
>
> en el mango
>
> de su afilada hacha universal
>
> a Espejo
>
> cuando sembraba
>
> la libertad bajo las piedras (55).

Aquí, se historiza la participación de los negros en el 'descubrimiento', la liberación y la construcción del continente americano. Cristóbal Colón, Simón Bolívar, Abraham Lincoln y Eugenio de Santa Cruz y Espejo fueron exitosos en sus esfuerzos, dada la intervención y el apoyo de los negros. Sus acciones son reconstruidas a través de la memoria del emisor ("nos anda en la memoria"/ "y al fondo reconfortante del recuerdo"). Los negros no solo están en la memoria colectiva del continente americano; son más bien un componente de su presente así como de su destino.

Sin embargo, la mayoría de los poemas son menos concretos, más abstractos y hacen alusión a un miedo eternamente presente con la esperanza de salvación dada por una presencia todopoderosa. Este es el tema de 'La escondida excelencia' donde el emisor vuelve a referirse al género humano que necesita orientación.

Esta 'Escondida Excelencia, Monarca subterráneo' es un muro de restricción metafórico al que el emisor solicita el Premio de Paz. 'Oración en la amenaza universal' es una parodia del Padre Nuestro. Comienza "Padre Miedo/ omnipresente" y continúa con una enumeración de sus influencias positivas sobre los seres humanos. Este miedo universal siempre acompaña a los humanos "...en el principio/ ...hasta la eternidad" y estructura el comportamiento de muchos. Es bendecido por el emisor entre los 'fantasmas' y se le implora:

> Y hágase tu voluntad
>
> así en el cielo como en la tierra
>
> en el agua
>
> en el aire
>
> en nuestro pan de cada día
>
> en la vida y la muerte
>
> por los siglos
>
> amén (59).

'Oración en la amenaza universal' expresa el fuerte sentimiento de aislamiento del emisor, que representa el sufrimiento de los seres humanos sin control de su suerte ni de su destino. El objeto de la plegaria es, aparentemente, uno de los tantos fantasmas, una aparición, o quizás, un espíritu en el sentido de Dios. La entidad no es concreta, pero aun así, ejerce control sobre el universo y es venerada por muchos.

Las dos caras de la palabra ejemplificadas en el título se evidencian en las secciones 'Sinfonía verde' y 'S.M. el Miedo'. La primera está compuesta de poesía de protesta mientras que la segunda tiene un tono hermético y existencial. No obstante, ambas proyectan impresiones negativas de la relación entre los seres humanos y el universo, ya sean físicas o psicológicas.

Esta goleta llamada poesía (1991)

Esta goleta llamada poesía es una compilación de algunos poemas de Nelson Estupiñán Bass publicados entre 1934 y 1984 en otros volúmenes así como también material nuevo. El libro está dividido en tres partes: 'Poesía negrista', 'Poesía corazonal' y 'Poesía comprometida'. En relación al lugar de Estupiñán Bass en las letras ecuatorianas, Horacio Drouet dice de este libro:

> En búsqueda de una auténtica identidad americana, ha combatido las manifestaciones del racismo y se ha esforzado por levantar la conciencia social contra los remanentes del feudalismo, las influencias negativas de los nuevos imperios y el predominio eurocéntrico en la cultura nacional para que el país alcance el control de la propia orientación política, económica y cultural.[15]

En los análisis de libros anteriores se ha atendido al enfoque culturalista y esotérico de la poesía del autor, que *Esta goleta llamada poesía* también ostenta, aunque con algunas excepciones. Temáticamente, la búsqueda de la identidad, la lucha contra el racismo y la concienciación social contra la injusticia son constantes en los escritos de Estupiñán Bass.

---

15   Nelson Estupiñán Bass, *Esta goleta llamada poesía* (Quito: Casa de la Cultura Ecuatoriana, 1991): 6. Citado en lo sucesivo.

En relación a 'Poesía negrista', hay cuatro poemas que no están en el renombrado tratado de Estupiñán Bass sobre cultura afro-ecuatoriana, *Canto negro por la luz* (1954). Son 'Saludo del negro ecuatoriano a España leal', que data de 1936, 'Audición para al negro' (1938), 'Invitación cordial' (sin fecha) y 'Otras malas palabras' (sin fecha). Estos dos últimos poemas fueron traducidos al inglés por Moraima Donahue de la Universidad de Howard y publicados en la revista *Afro-Hispanic Review* en mayo de 1982.

'Saludo del negro ecuatoriano a España leal' está dedicado a las fuerzas contrincantes durante la Guerra Civil Española, cuando se cumple el primer aniversario de la violencia. Luego, el emisor compara la lucha española con el cruce forzado de africanos por el Atlántico y la esclavitud experimentada por los afroecuatorianos, antes de situarla en un contexto más amplio:

Mi saludo es la alegre sonrisa del coco,

pero es también

la maldición del abisinio a Mussolini y sus hordas,

el último grito

del negro linchado por las turbas yanquis,

la protesta del negro

por la sed mineral de los gringos,

la venganza,

ya próxima

del negro cauchero o toquero de Ecuador (21-22).

El saludo a los españoles republicanos no ocurren en el vacío, más bien, es historizado en el marco de la experiencia negra. Con una sonrisa, el emisor maldice el fascismo de Mussolini, el linchamiento de los negros en Estados Unidos, la explotación extranjera de las riquezas minerales de Ecuador, mientras celebra la venganza que se cobrarán los trabajadores del caucho y el marfil vegetal. Este saludo colectivo, desde la perspectiva de los negros, ofrece esperanza y unidad en la lucha contra el mal, implorándole a España que triunfe, en armonía con personas de todas las etnias, sobre los males del fascismo y forjen un futuro más promisorio.

'Audición para el negro' es el llamado al progreso de las personas negras desde una voz que promueve su ascenso constantemente. El poema comienza con un tono negativo y a lo largo de su desarrollo registra las décadas de abandono y explotación de los negros. Al principio, la escena es "Continúan varios niños/ buscando en el polvo/ los panes que vieron en sus sueños" (23), luego se ejemplifican las expectativas incumplidas y la falta de futuro, seguidas de un llamado a la acción. Mediante un apóstrofe en forma de 'tú', el emisor se dirige a las personas negras de diversas ocupaciones y en diferentes momentos de la vida "para formar desde ya nuestras brigadas" (24).

El emisor sugiere que quizás el destino sea el responsable de los padecimientos de los negros: "La astrología tal vez vaticinó nuestro destino:/ dar nuestras vidas" (24). Mientras tanto, otros prosperan:

mientras mendigamos por todas partes un salario

y sentimos en el estómago

el hilván cotidiano del hambre (24)

Mientras el resto de la sociedad prospera, los negros son relegados a ocupaciones menores y a la pobreza, para ser explotados según la voluntad de los sectores pudientes. El emisor es consciente del rol histórico que han tenido los negros en la sociedad: "fabricamos las ciudades/

para otros": "...la ciudad que ahora ha olvidado/ que vino en nuestros hombros hasta aquí" (24). Su participación en la construcción de la sociedad fue olvidada; son vistos como instrumentos para el mejoramiento de otros sectores y luego relegados a los márgenes de la historia.

Pero cuando hay un llamado a defender la patria, los negros son casi siempre los primeros en responder. El emisor utiliza la palabra 'cacarear' para dar la voz de alarma:

> Al día siguiente,
>
> llenos de patriotismo, fusiles y mochilas,
>
> fuimos a defender el cordel de la frontera (25).

Con fervor patriótico expresan su lealtad mediante la acción y el sacrificio. Sin embargo, el resultado no es lo que los negros esperaban porque:

> A nuestro regreso encontramos
>
> la ciudad saqueada, cuidadosamente metida
>
> en los bolsillos de unos cuantos señores (25).

Mientras ellos están en el frente de batalla, otros recogen los beneficios de su trabajo mediante el robo y el engaño. Esta es una realidad habitual para quienes pertenecen a las clases bajas y son convocados a asumir la carga de la sociedad, especialmente en tiempos de guerra.

La experiencia y la suerte corrida por los negros durante y después de las actividades revolucionarias no son muy distintas. "Nos llamaron y fuimos a defender/ lo que inmediatamente se nos fue de las manos" (25). Son presentados como objetos de sacrificio en las guerras contra los enemigos externos así como en las luchas intestinas. Aun así, el emisor es optimista con respecto al futuro. Es ahora:

> la hora de ponernos en marcha
> con los obreros, los indios, los mulatos.
> Tendremos que silenciar
> las metrallas y los fusiles enemigos
> y llenar la historia de muertos
> para adueñarnos del futuro (25).

Hay un llamado a la unidad de los desposeídos durante una lucha por el avance colectivo. No estudiarán más la guerra, recordarán su historia colectiva y serán artífices de su propio destino después de una historia de sacrificio.

'Invitación cordial', dedicada al fallecido Stanley Cyrus de Grenada, es una prueba de la habilidad del emisor de rescatar lo mejor tanto de actitudes buenas como malas, al permanecer "al margen de la maldad/ y del discrimen", y al creer "que todo será mejor/ si nos queremos" (32). Esta es, en verdad, una ilusión.

'Otras malas palabras' es un reproche ante el lugar común 'Que en paz descanse'. El emisor considera que estas son 'malas palabras' porque la muerte no representa el fin del legado de una persona. En alianza con hermanos negros y mulatos, el esfuerzo por superar la irreversibilidad de la muerte continúa:

> bajo la tierra,
> estar, como siempre,
> al centro de su estruendo,
> en medio de su guerra (33).

Desde el enterramiento emergerán:

esos himnos profanos,

tan sagrados

que ellos y yo

sabemos de memoria

desde siempre (34).

La muerte no puede destruir la memoria colectiva de un pueblo. Esta sigue viva en el sonido de los tambores, el lenguaje y en las canciones profanas y sagradas que narran las experiencias de negros y mulatos.

Esta goleta llamada poesía contiene un nuevo poema en la sección 'Poesía corazonal' ('La esquela fatal') y seis 'Poesía comprometida' ('La esperanza', 'Tarjeta postal de la tarde', 'Ante la tumba de Vargas Torres', 'El hombre en la luna', 'Canción despoblada a la tiniebla' y 'Epístola censurada a Gaitán'). 'El hombre en la luna' es un poema incompleto.

'La esquela fatal' es poesía verdaderamente del corazón, puesto que es un obituario metafórico, un tributo de despedida a una relación de amor finalizada. En el presente, el emisor lamenta una pérdida histórica y conjetura "Si pudiera, como antes, llegar a tu ternura/ y decirte estos versos" (55). Pero están separados, la relación perdida en el tiempo y el espacio. Ausencia, memoria y añoranza son los temas centrales que articula el emisor, que se niega a aceptar la pérdida y cuestiona:

¿Por qué pusiste tanta distancia,

tanta tierra y tanto mar,

casi la longitud de la patria

entre los dos? (55).

Esta es una pregunta retórica ya que sus brazos son, metafóricamente, un puerto cerrado y su corazón una habitación de la que ella tiene las llaves. El emisor continúa lamentando, a lo largo del poema, la pérdida devastadora y tiene que cargar con la cruz de su ausencia. Aun así, su presencia se percibe en la naturaleza, en las canciones y, sobre todo, en recuerdos tristes. La última estrofa es especialmente poderosa, en la medida en que el tiempo y los recuerdos pesan sobre el emisor y la irreversibilidad de la situación se intensifica cuando un 'alguien' anónimo:

> deja puntualmente en mi escritorio,
>
> junto a mis cuartillas inclusas,
>
> la esquela fatal de mi agonía (56).

El efecto de oxímoron que crea el obituario planteado en el título se evidencia en tanto la posibilidad de reencuentro es inconcebible, dado que la última metáfora presenta la muerte de la amada.

Dos de los poemas tratan sobre las experiencias de íconos nacionales: Luis Vargas Torres en Ecuador y Jorge Eliécer Gaitán en Colombia. 'Ante la tumba de Vargas Torres' resalta las virtudes de un revolucionario que luchó por los pobres y fue ejecutado el 2 de marzo de 1887 por un pelotón de fusilamiento. Cada estrofa del poema comienza con el apóstrofe "Coronel,/ Coronel" durante el funeral. El país imagina su regreso "al regazo maternal de tu tierra" (125). A continuación, el emisor detalla muchos de los logros de Vargas Torres y la percepción que tiene de ellos; lo describe como un 'eterno obelisco de la luz' cuyo nombre evoca el fervor patriótico y revolucionario de Esmeraldas y de gran parte de Ecuador. El emisor considera a Vargas Torres:

como un individuo

que con la controlada tempestad de tu sangre

escribiste una de las páginas

más luminosas de la Patria,

regresas ahora,

aunque caído,

con la bandera en alto

para plantarla en estas verdes montañas

que conservan íntegro

tu recuerdo en su memoria vegetal (126).

El sacrificio de Vargas Torres, arraigado en la memoria colectiva, lo eleva a un nivel mítico, especialmente en Esmeraldas, su provincia natal. Al morir, es devuelto a la esencial naturaleza cíclica que asegura la presencia eterna de Vargas Torres. Su nombre está ligado de manera indisoluble a la libertad en Ecuador.

'Epístola censurada a Gaitán' es un tributo a otro héroe, mártir y figura revolucionaria cuyo impacto nacional fue similar al de Vargas Torres. Jorge Eliécer Gaitán, un político y candidato a presidente colombiano, fue asesinado el 9 de abril de 1948, en un hecho que desencadenó lo que se conoce como el 'Bogotazo', violentas protestas que destruyeron gran parte de la zona central de la ciudad capital de Colombia y prolongaron la tradición de violencia política de ese país.

A partir del verso inicial, "Apagaron tu lámpara, hermano, / la apagaron", (147) y a lo largo de todo el poema, se van construyendo imágenes de extinción y silencio. Eliécer Gaitán provoca miedo en quienes desean oprimir aún más a los desfavorecidos, situación que se describe metafóricamente como un hacha de piedra que golpea las lápidas del odio. Mientras Vargas Torres participa en actos revolucionarios a través del uso de la violencia, las armas de Gaitán son las palabras. Lo que subyace aquí es que 'la pluma es más poderosa que la espada'. Físicamente, su estandarte de esperanza es derribado, pero el emisor plantea preguntas importantes en relación a la presencia espiritual duradera de Gaitán:

> Pero,
>
> ¿apagaron tu luz que los hería?
>
> ¿Silenciaron tu voz que carcomía
>
> la vacía bóveda del mito?
>
> ¿Arriaron tu bandera, sobresalto
>
> de todos aquellos que sabemos quiénes son
>
> y que pensaron erguir la calavera como signo
>
> sobre el silencio,
>
> la sombra
>
> y la ceniza? (148).

Fue por miedo a lo que representaba que asesinan a Gaitán, aunque, de acuerdo con el emisor, su asesinato produjo un efecto contrario al buscado, puesto que la figura de Gaitán se engrandeció más aún muerto que en vida. Se convirtió en una figura mítica primordial, no por su pasado físico:

> sino eras la arcilla tenaz
>
> e irreductible
>
> que se subleva contra el agua,
>
> y elabora, subiendo su fatiga
>
> por los volubles andamios del légamo,
>
> el islote (148).

La regenerativa metáfora del origen describe a Gaitán como la esencia visceral del movimiento de base para las transformaciones en Colombia. Su nombre representa una esperanza para las masas aunque físicamente esté ausente. La última de las cuatro estrofas está dominada por la palabra 'cuando' como anticipo del cambio; la más potente es: "cuando pase esta miche de sangre y pesadilla;/ cuando vuelva de su exilio la sonrisa/ a buscar en la ceniza sus recuerdos?" (149). Es la memoria de Gaitán la que sobrevivirá a la violencia y el derramamiento de sangre de las luchas intestinas de Colombia y ayudará a forjar un futuro mejor. El emisor reconoce que Gaitán habría sido más valioso vivo que muerto, pero que el martirio es su destino.

'La esperanza' es un soneto que también se ocupa de la violencia y su efecto en la clase trabajadora. Es la saga de Pedro, un carpintero y fabricante de armarios que ha sido atacado violentamente por la policía por manifestarse a favor del progreso. Pedro cree que "la Esperanza florecerá algún día" (119), aunque esté ensangrentado y arrestado. Con su sacrificio, se plantan las semillas del progreso, en tanto "Pedro es un jardinero/ que riega las orillas de la flor que él ansía" (119) y su lucha se concibe de manera metafórica y real, dado que como jardinero planta semillas físicas e ideológicas.

A pesar de la violencia cometida inicialmente contra Pedro, el tono del poema se mantiene positivo: "contento sonreía", "grande y pura la alegría", porque cree que sus acciones son transformadoras y que algún día los trabajadores "puedan aquí en la Tierra gozar la primavera". El optimismo de Pedro en relación a los trabajadores se simboliza con la imagen típica de la primavera y provoca un renacer.

'Tarjeta postal de la tarde' es un poema que aborda la relación entre la naturaleza y los seres humanos de una manera contradictoria. En las estrofas iniciales, se presenta una visión idílica del universo donde la noche se impone al día y esto inspira una reacción humanizada:

La tarde,

defraudada y rendida

se recuesta de espaldas

sobre todas las cosas (121).

El atardecer, a medida que se acerca la noche, puede aparecer en un estado de desencanto, pero esta transición temporaria influye positivamente en gran parte del universo, el cielo, los ríos, los pájaros, los árboles, y además señala la puesta del sol.

Cada una de estas entidades es humanizada: "El cielo comenta el último mitin de golondrinas", "El río atisba el tiempo", "Una palmera es un ropero listo" (121). Estos elementos de la naturaleza parecen estar sincronizados, pero el emisor duda de la posibilidad de su representación pictórica "Porque todo aquello es solo el espejismo" (122). La ambientación natural es solo un espejismo, una ilusión que contrasta con la realidad cotidiana de los seres humanos escondidos detrás de la fachada de una naturaleza indiferente.

Un auténtico retrato del atardecer incluiría a los seres vitales para el progreso del país, los trabajadores del muelle, los obreros del aserradero, los transportistas, las costureras y, sobre todo incluiría la imagen de

las viviendas de los pobres

a cuyas puertas el hombre afila sus garras

para lanzarse al asalto

en complicidad con el crepúsculo (123).

El descenso cíclico hacia la oscuridad es reflejo de la miseria experimentada por los pobres y su vulnerabilidad a la violencia bajo el manto de la noche.

Este retrato del atardecer estaría incompleto si no incluyera la dimensión humana. El emisor destaca los sacrificios de los trabajadores que dejan su sangre en el muelle, los aserraderos o el montañés que es crucificado por la experiencia urbana. Muchos de ellos tienen ilusiones inalcanzables que, combinadas con la inmensidad de la naturaleza, llevan al emisor a concluir:

> Evidentemente
>
> la tarde es muy grande
>
> para caber en una tarjeta postal (123).

Si el elemento humano no estuviera presente, las imágenes de la naturaleza donde el cielo, la tierra y sus componentes están integradas armoniosamente, serían mucho más fáciles de captar, aunque sería una falsa interpretación de la verdadera naturaleza del atardecer. En la última estrofa, el emisor expresa optimismo acerca del mañana y el comienzo de un nuevo día.

'Canción despoblada a la tiniebla' es un ejercicio de gimnasia verbal. La primera sección de este extenso tratado consta de jitanjáforas y conexiones de palabras ininteligibles como "Mesqua nesquaquam niquisquicio" (139). La atención pasa luego a la insignificancia del comportamiento humano desde la perspectiva de la luna. El eje inicial de la segunda sección gira en torno a los niños que van a la escuela, los nadadores y las madres frustradas cuyas vidas no tienen importancia "para el hombre en la luna" (141). Este estribillo persiste a lo largo del poema, a medida que se abordan otras cuestiones más serias:

> ¡qué importan el humo, la niebla y las galeras,
>
> el fascismo y el Vietnam,
>
> para el hombre en la Luna!

La esclavitud, el fascismo y la guerra en Vietnam, algunos de los peores actos de destrucción humana de los siglos XIX y XX, no tienen ninguna consecuencia para un observador indiferente aunque se hayan cobrado un número devastador de vidas humanas. En relación a la sección 'Poesía comprometida' de *Esta goleta llamada poesía,* el emisor continúa denunciando la falta de compasión y humanidad compartida en el mundo.

A lo largo de este poema, se formula la misma pregunta retórica, tanto en relación a los trabajadores y las tendencias religiosas como a las festividades. Las voces de los pobres y los inocentes no son escuchadas, ni tampoco las de los que pelean por la libertad y la justicia. Se presta especial atención a temas relacionados con la empresa United Fruit Company, América Central y el asesinato de Augusto Sandino. Se pone de relieve la explotación de recursos naturales por empresas extranjeras, en particular la extracción de metales en Bolivia, con una pregunta directa dirigida al Libertador "[Bolívar: ¿qué dirías de todo esto si lo vieras?"...] En teoría, corregiría los errores. También se pone de manifiesto la hipocresía de la democracia y los linchamientos en Estados Unidos.

> ¡qué importan el dolor del banano,
>
> el dolor de Bolivia
>
> ni el dolor de los negros,
>
> para el hombre en la Luna! (144).

Ni el dolor ni el sufrimiento se condicen con esta presencia no comprometida. Se pone de manifiesto que el mítico 'hombre en la luna' no es más que una estructura de poder alejada del mundo sobre el cual ejerce un control que desea mantener. En lugar de ofrecer una solución para los problemas sociales o, al menos interesarse por ellos, estos son considerados inexistentes. Esta indiferencia se observa en el velatorio de un joven pescador analfabeto y en la gente negra que intenta derribar los muros de la injusticia y no encuentra consuelo en Dios que deja sin respuestas sus plegarias.

El 'yo' de la voz poética interviene directamente cuando se le implora al emisor que vuelva a la Tierra para interactuar con los seres humanos y comprender mejor los fenómenos. El pedido se formula de manera periódica: "A veces una voz rústica me increpa" (145). La reacción coincide con el relato presentado a lo largo de 'Canción despoblada a la tiniebla':

> Esta voz áspera me dice
> que no abjure mi origen humilde, el vaticinio,
> pero yo persisto
> en hundir mis raíces en el aire
> en componer jeroglíficos y enigmas,
> porque de veras soy
> el hombre aislado en la Luna (145).

En este caso, el poeta, el hombre en la luna, no está poniendo en práctica su responsabilidad social como escritor, en tanto, en vez de exteriorizar los problemas sociales con palabras, se apega a lo ininteligible, los 'jeroglíficos' y los 'enigmas' para no enfrentar la realidad. En lugar de eso, el emisor asume una identidad distinta, niega la herencia cultural para perpetuar una huida hacia la fantasía y la evasión.

Los poemas nuevos que componen *Esta goleta llamada poesía* siguen la misma tendencia estilística y temática que la mayoría de las publicaciones previas de Estupiñán Bass. Se observa un fuerte sentido de injusticia social enmarcado en tendencias estructurales actuales, a lo largo de sus obras. La variedad en estos poemas refleja la conciencia del autor acerca de la historia nacional e internacional y otros aspectos de la cultura. Combinadas con un cuestionamiento constante acerca del lugar de los seres humanos en el universo, en muchos casos predominan las preocupaciones existenciales. Los poemas de *Esta goleta llamada poesía* son de naturaleza ecléctica: algunas veces herméticos y otras directos. Más allá del método, la cosmovisión del autor es clara: la historia, pasada y presente, debe entenderse y respetarse para que haya armonía entre los seres humanos y el mundo natural.

Capítulo II: Cuentos y teatro

A. Cuentos

Además de la poesía ya analizada, *Las tres carabelas* (1973) contiene dos narraciones breves ('Las hojas en el viento' y 'El perdón') y dos piezas teatrales ('La otra' y 'Las frutas verdes'). Los dos cuentos difieren en tanto uno se sitúa en un escenario distópico contemporáneo y el otro en el siglo XIX durante la época de Simón Bolívar. Las piezas teatrales son similares: cuestionan la identidad, el racismo, la desigualdad económica y la justicia, así como aspectos comunes que se observan en la diáspora africana. Estupiñán Bass publicó, además, otros dos cuentos breves que también se analizarán en esta sección, 'El milagro' y 'El gualajo'.

El narrador testigo de "Las hojas en el viento" lleva al lector a través de un paisaje devastado por los desastres naturales: un terremoto, la erupción de un volcán, un tsunami, un meteoro. El narrador no es identificado por el nombre, pero el de su compañero, Malaguía, anticipa el resultado del viaje. A medida que se desarrolla la narración, se va descubriendo que los dos protagonistas están realizando un viaje autorizado por el doctor Iskander Kamala para transportar los cadáveres congelados que este conserva con el objeto de resucitarlos.

Se cree que el doctor Kamala, psiquiatra, participa de prácticas ocultas y posee una cueva secreta donde lleva a cabo sus rituales. Esto se lo revela el hastiado ex compañero del doctor al narrador:

> ...me dijo que la gruta era el infierno, que el doctor Kamala era Satanás en persona, y nosotros, sus diablos sirvientes, y que no quería verme nunca más.[16]

---

16   Nelson Estupiñán Bass, *Las tres carabelas* (Portoviejo: Editorial Gregorio, 1973): 33.

Esta interpretación coincide con el valor simbólico de las cuevas en la mitología, donde se las compara con el inframundo y el útero. 'Las hojas en el viento' transmite un ambiente devastado que, a medida que avanza el relato, refleja las actitudes negativas de los personajes. El hecho catastrófico que desata la acción en el relato es espectacular. Fuegolento, ciudad que alguna vez fue dinámica, se convirtió en un páramo de muerte y destrucción: "Han desparecido las nubes, y, en vez del cielo acostumbrado, ha quedado una pavorosa hondura vacía, que cambia de color por instantes" (29). La destrucción comenzó cuando, desde el cielo, "...salió la luna como quemándose, y se puso enorme, como nunca, y comenzó a agrietarse, y se partió en cinco pedazos, que, cada vez más crecidos, veíamos venir hacia nosotros con colores cambiantes, y, por momentos, con toda la gama del arcoíris" (29). Esta descripción coincide con la del choque de un meteoro, tanto en términos de los orígenes de los fenómenos como sus resultados.

En sintonía con el subtexto oculto del relato, el retrato de Malaguías, compañero del narrador y conductor del vehículo refrigerado que transporta los cadáveres, es una suerte de Caronte, si se quiere. Malaguías tiene alteraciones congénitas: "un ojo semicerrado y muerto, y labio leporino, por cuyo hueco veíamos sus deformes dientes superiores" (30). Gracias a la generosidad del doctor Kamala, Malaguías puede conseguir la licencia de conducir y queda a su servicio. A medida que avanza el relato, el narrador y Malaguías emprenden el viaje para entregar la carga congelada al doctor en un puente, pero Kamala no aparece y el narrador afirma: "Por si acaso alguien recoja estos papeles que voy echando al viento, revelaré todo lo que sé" (31). El narrador ya no está comprometido a guardar silencio en relación a su misión y los papeles que tira al viento son, metafóricamente, los componentes de esta narración, un metatexto.

'Las hojas en el viento' es una metanarración que relata la manera en que se constituye y comunica la trama. El narrador va construyendo la metáfora cuando dice "Para quienes tal vez lleguen a conocer estas notas..." (32), antes de explicar cómo el doctor Kamala le entregó la maleta y las notas, en medio del caos producido por el desastre natural. El viaje hacia la cueva de hielo se interrumpe cuando se produce una avería en el vehículo, que hace que los cuatro contenedores se descongelen y el narrador actúe sobre el primer cuerpo: "...le apliqué en la boca tres pastillas prescritas y esperé hasta contar 120 y luego le vertí en la nariz el contenido de las dos ampolletas, y después de un rato comenzó a agitarse" (35). El remedio logra resucitar a los cuatro individuos.

Una de las recién despertadas es Jacinta, madre de Malaguía, que inmediatamente lo rechaza y exclama: "...Dios mío sálvame de este monstruo, y se zafó, y corrió y él se quedó absorto, viéndola alejarse, y lloró y ya no era un hombre, sino un gorila" (36). Descrito como un hombre con brazos negros y llenos de vello, Malaguía fija luego su atención en Eulalia que también intenta huir de él, aunque sin éxito. Los esfuerzos del narrador y de Alberto, otro de los descongelados que es asesinado por Malaguía, fallan y el narrador solo puede observar "...el crimen cometido y el rapto que estaba a punto de consumar" (37). Malaguía es un verdadero monstruo que, a pesar de que aparenta estar aculturado, en última instancia responde a instintos básicos para satisfacer sus necesidades. Sus acciones guardan relación con la naturaleza monstruosa y diabólica del trabajo. Es posible que el doctor Kamala crea que su poder sobre la vida y la muerte es divino, pero al criar a Malaguías, creó una presencia satánica muy en sintonía con las cuevas y los laberintos de sus planes omnipotentes.

Lo interesante de las notas que estructuran la trama es que el lector no sabe si el narrador sobrevivió a la calamidad. Estas palabras podrían ser lo que quedó después del desastre de la resurrección y la incapacidad del narrador de controlar el mal manifestado por Malaguías y las prácticas maléficas del doctor.

'Las hojas en el viento', mediante un narrador protagonista anónimo, trata del lado más oscuro de la interacción humana en una atmósfera de violencia e incertidumbre. El inexplicable y catastrófico hecho, así como las acciones de algunos de los personajes son manifestaciones de lo fantástico, lo que la lógica no puede explicar. Esta incertidumbre se compone de la existencia de una perspectiva narrativa no confiable que controla lo que estas 'hojas' contienen.

'El perdón' es un cuento sobre la traición y la redención. Ambientado en el siglo XIX en las posesiones coloniales españolas durante los movimientos de liberación de Simón Bolívar, el narrador testigo se autoidentifica con una mariposa y un pájaro. El perdón del título se refiere a las actividades de un tal Sebastián, que les revela a las autoridades la identidad de quienes luchan en la resistencia, acto que termina con la captura de Azael Tandapi y su sentencia a morir frente a un pelotón de fusilamiento. La traición de Sebastián le es revelada a Jeremías Mompó, quien le perdona la vida porque Sebastián tiene un plan que salvará a Azael. Momentos antes de ser ejecutado, Jeremías y sus combatientes "...todos ellos disfrazados de diablos, con cuervos y rabos, irrumpen en la plaza, y tuercen lo que debió ser una acostumbrada ejecución" (43).

Esta escena representa el clímax de una trama que indaga en el contexto cultural del colonialismo español y las manifestaciones de resistencia que tenían a Simón Bolívar como guía. La línea étnica y la de los privilegios están claramente delimitadas en este texto, que el narrador historia de la siguiente manera:

Mis antepasados fueron un tiempo prisioneros, cuando habitaban en la pajarera del Marqués de la Montaña, en un valle cálido, desde donde se veían los cercanos picachos nevados. El marqués se vanagloriaba de poseer la colección más preciosa de pájaros. Entre sus esclavos estaban el mestizo Azael Tandapi, el negro Jeremías Mompó y los indios Heriberto Taipe y José Chicaiza, que sentían pena de los cautivos, tanta, que un día echaron piedras sobre el techo de vidrio del cautiverio, y, por los huecos, hicieron fugar a todos los encerrados. Emocionado por el vuelo, Jeremías propuso:

—Huyamos también, como los pájaros.

—¡Vámonos! —aprobaron los tres (42).

El Marqués de la Montaña controla tanto la vida humana como la animal no-humana; aquí se puede vislumbrar la composición étnica de su ámbito: negros, indios y mestizos. La mariposa/pájaro representa el sufrimiento de Tandapi (mestizo), Mompó (negro) y Taipe y Chicaiza (indios), que facilitan la huida del narrador y la suya propia. Los cuatro se convierten en cimarrones en la selva antes de unirse al movimiento por la liberación de Bolívar. Durante la narración, el consenso popular dice que "Bolívar está triunfando en todas partes, dicen que los pueblos lo ayudan con todo lo que pueden" (38). Es irónico entonces que Sebastián intente debilitar el movimiento, dado que tiene mucho que ganar a partir de un cambio en las estructuras políticas, económicas y sociales. Sebastián "es hijo ilegítimo de don Heraclio Covarrubias de Solano y Mendieta, alto funcionario de la Tesorería Real; su madre, la india pata al suelo Dolores Tandapi..." (40). Sebastián es hijo ilegítimo porque no está reconocido por su padre, que lo hizo encarcelar porque intentó adueñarse de su apellido. Quizás este tipo de aislamiento de su familia y de sí mismo hizo que Sebastián en un principio traicionara su causa, a pesar de que él le echa la culpa al temor de su esposa. ¿Podría Dolores Tandapi ser también la madre de Azael Tandapi, el líder cimarrón capturado?

Simón Bolívar es el subtexto de esta trama. Aunque sólo se lo nombra, eso es suficiente para generar la resistencia al mandato colonial implícito en 'El perdón'. El caso de Jeremías es indicativo de ello:

> Cuando salió a la Costa se hizo leñador, e ingresó a la organización antimonárquica, junto con sus compañeros de fuga. 'Golívar', decía al comienzo, pero, entre reunión y reunión, pronto aprendió a decir bien el nombre que tanto ama, y a leer y escribir (40).

Jeremías representa una parte de un levantamiento popular, construido a partir de una imagen a la que deben proporcionarle la esencia. Bolívar es una idea, una luz de esperanza de cambio para aquellos que sufren bajo el despotismo de personas como Heraclio Covarrubias de Solano y Mendieta y el Marqués de la Montaña, por ejemplo. Bolívar es una inspiración para Azael hasta en sus últimos momentos, frente al pelotón de fusilamiento. "¡Viva Bolívar!", exclama. El hecho de que Jeremías, Azael, Taipe y Chicaiza sean cimarrones que disfrutan pequeños logros, le agrega un tono positivo a 'El perdón'.

El estatus del narrador protagonista de la trama no está tan claro. Tener un narrador mariposa/pájaro le da un elemento fantástico a 'El perdón'. Simbólicamente, representan la libertad plasmada en la liberación de los pájaros junto con el comienzo de la huida de los cuatro cimarrones. 'El perdón' termina con un tono positivo; el pelotón de fusilamiento fue desbaratado, Sebastián fue perdonado por su traición y el movimiento revolucionario cobra fuerza.

'Las hojas en el viento' y 'El perdón' demuestran la capacidad de Nelson Estupiñán Bass de tratar problemáticas locales, regionales y nacionales de manera creativa. Estas historias son diferentes en cuanto a los temas, pero similares en cuanto a la habilidad del autor para incorporar estrategias narrativas modernas, estimular, de esta manera, la imaginación y enriquecer la experiencia de lectura general.

El milagro

El cuento más conocido de Nelson Estupiñán Bass es 'El milagro'. Fue publicado en una antología, *El cuento negrista sudamericano* (1973), editada por Stanley Cyrus y traducida por Ann Venture Young en la revista *Afro-Hispanic Review* (enero 1984): 20-28.[17] 'El milagro' es contado desde la perspectiva de un narrador protagonista, en una primera persona anónima, y ejemplifica muchas de las tendencias de ficción y dramáticas implícitas en los trabajos de Estupiñán Bass. La historia comienza en el muelle con el encuentro del narrador y Juan Caminos, un individuo que posee la capacidad de comunicarse telepáticamente, un lector de la mente.

Caminos le demuestra al narrador sus habilidades en varias ocasiones y, finalmente, ambos entran a un club de *strip-tease* a ver una actuación de las *Black and White Sisters*. Junto a Antonio, amigo del narrador, Juan Caminos elije ese sitio porque, dice: "No hay a donde más quiero hacerle una demostración de verdadera telepatía" (22). Esta "verdadera telepatía" será demostrada con una intervención en la mente de un inválido confinado a una silla de ruedas que está entre el público. El narrador y Antonio deben escribir los pensamientos del in-

---

17 Uso la versión de 'El milagro' publicada en *Afro-Hispanic Review* porque es más actual y precisa.

válido según se los transmite, individualmente, Juan Caminos, en una verdadera prueba de sus habilidades.

El objeto de este experimento es un individuo conflictuado, lleno de culpa y prejuicios. Su metanarración comienza con impresiones sobre las integrantes de *Black and White Sisters*:

> ...parecen ellas, si son tienen exactamente dieciochos años tres meses y ocho días, el doctor Cortés me dijo que era un caso excepcional en el mundo y él fue quien atendió a Lupe. Cuando en mi hacienda leí que habían debutado en Guayaquil resolví esperar que fueran a Quito para verlas en esta ciudad nadie me conoce aquí puedo disipar mis dudas cómo se llamarán realmente porque eso de *Black and White Sisters* es el nombre artístico de ambas [...] cómo ansiábamos Lupe y yo nuestro primogénito yo quería un varón y ella deseaba una mujercita y cuando ya las vi qué asombro cómo pudo nacer una negra de padres blancos qué vergüenza qué escarnio". (24)

Entrar en el flujo de la conciencia del inválido les da a los observadores el privilegio de acceder a sus pensamientos más íntimos, mientras el hombre reflexiona acerca de cómo sus actos pasados afectan su realidad presente. El 'caso excepcional en el mundo' se refiere al hecho de que hace dieciocho años, tres meses y ocho días, su esposa dio a luz a mellizas, una negra y otra blanca, algo raro cuando los dos padres son blancos. El inválido acusa a su mujer de infidelidad, que ella niega, y echa a su hija negra; la hermana blanca se va por su propia voluntad. Lupe, la esposa del inválido, es sometida a ataques violentos pese a mantenerse fiel.

Su principal obsesión es el color negro de su hija Norma: "Odié desde el primer momento a la negra no besé a Lupe al salir de la clínica"; la considera "mi desgracia y mi deshonra" y "la llamé esperpento y fenómeno" (24). No hay evidencia de que Norma no sea la hija del inválido, pero su actitud racista y su preocupación por las percepciones sociales lo llevan a maltratar a su familia, situación que Glenda, la hija blanca, no puede tolerar y por lo tanto se va de la casa.

Durante la actuación de las *Black and White Sisters,* el inválido admira su belleza física y su talento, pero no puede olvidar la cruel estafa de la naturaleza. La vergüenza y el ridículo que padece por vivir en una sociedad intolerante lo acompañan durante más de una década. A medida que se desarrolla la actuación de las hermanas, el inválido se da cuenta de que son sus hijas:

> ...ahora sí las he identificado, son ellas, la negra tiene los dos hoyuelos y la blanca en la mejilla derecha solamente; no cabe duda, la blanca es mi hija pero qué igualita a la negra en casi todo, la negra no es mi hija, no puede ser, yo nada tengo de negro ni Lupe tampoco tenía esa maldita sangre (25)

La idea de la sangre maldita le permite justificar: "Hice desaparecer de la casa a la negra", lo que conduce a la disolución de la unidad familiar porque su hija blanca también se va por la crueldad hacia la madre.

El inválido es un hombre racista y violento. Entremezclado con sus pensamientos sobre la actuación de las hermanas está el recuerdo de su ataque a Lupe:

> ...la tomé por el cuello y le exigí la confesión, estuve a punto de estrangularla pero no conseguí nada sólo su negativa que nunca me había faltado, que su honra y la mía estaba intacta, que juraba ante Dios y por las cenizas de su madre que nunca había sido de otro hombre...

La negativa de Lupe de haberle sido infiel alguna vez, sus súplicas de comprensión y su juramento de inocencia sobre la tumba de su madre lo enfurecen aún más: "...la arrojé contra el suelo y rebosante de furia le increpé su infidelidad mientras le acometía a puntapiés; quedó como un montón informe de carne y ropa ensangrentada pero sin una lágrima y ni un solo gemido..." (25). A pesar del ataque del inválido, Lupe mantiene su inocencia categóricamente. Tras el fracaso de la golpiza, el inválido recurre a un revólver y sus pensamientos son ambivalentes en relación al resultado: "...saqué mi revólver le apunté y cayó al suelo pero no la maté, el proyectil se encasquilló, ella murió víctima del corazón..." (26). No queda claro si Lupe murió por tener el corazón destrozado por la culpa de haber traído al mundo a una niña negra. El castigo que recibe el inválido por sus actitudes y sus actos es quedar confinado a una silla de ruedas.

La escena culminante de *El milagro* es ambigua. Las *Black and White Sisters* representan su historia de vida en su actuación. Cuando se encuentren con el padre, Glenda y Norma no pueden decidir si matarlo o abrazarlo. Si bien solo sienten desprecio hacia él, el inválido sufre una transformación, "...voy a abrazarlas, oh Dios mío se ha hecho el milagro, puedo andar y una luz grande me ilumina el cerebro..." (27). Su objetivo al poder caminar otra vez es alejar a sus hijas de su profesión e impedir que se desnuden en público. Este milagro ocurre en su mente ya que cuando la transcripción termina, el inválido yace muerto en el piso y luego es prendido fuego.

La hipocresía de un individuo que abusa física y mentalmente de su esposa y desconoce a su hija es evidente a lo largo de *El milagro*. La percepción de la sociedad y la falsa honra son lo que motivan al inválido. Una cuota de racismo lo hace aún menos interesante. Solo es coherente en el odio que expresa hacia su hija negra y en el maltrato y la humillación de su esposa. Para él su hija negra será para siempre un 'murciélago' y una 'mancha negra'. El inválido ha internalizado las percepciones sociales en relación al color y las ha utilizado para marginar a su hija. A su vez, asume una postura moral superior en relación al sexo y el cuerpo femenino durante la actuación de las jóvenes. La metanarración estructurada en torno a la telepatía, la actuación fantástica y dramática, son ejemplos de muchos de los temas recurrentes de Nelson Estupiñán Bass: hipocresía, falsa moral, violencia y racismo. Estas preocupaciones son constantes tanto en sus piezas teatrales como en sus narraciones breves.

'El milagro' es similar a 'Las hojas en el viento' y 'El perdón' en términos de la manera en que se implementan técnicas narrativas innovadoras. Lo metaliterario y lo fantástico sostienen la estructura externa e interna de estas tres historias que permanecen fieles a las preocupaciones culturales de Estupiñán Bass. Tanto forma como contenido son coherentes en la habilidad del autor para interpretar lo local con estrategias 'universales'.

El gualajo

'El gualajo' relata una noche en la vida de Crispiniano Ayoví, un joven de Barrio Caliente, que es presionado por sus padres adoptivos, Catalina y Pantaleón, para que atrape al pez 'gualajo'. El logro de este reto será considerado por la comunidad el rito de iniciación de Crispiniano, que marcará su paso de la adolescencia a la adultez.

El breve viaje de Crispiniano hacia la madurez se desarrolla de noche en el puerto, debido a su vacilación a pescar de día ante la mirada atenta de los vecinos. La presión por lograr la misión proviene, principalmente, de sus padres, en quienes él piensa: "No, no solamente esto era importante para él; tal vez más importante era para doña Catalina y para don Pantaleón."[18]

Camino hacia su destino, Crispiniano oye las conversaciones de individuos que representan distintos estratos de la sociedad: Enriqueta y Rodrigo, dos amantes que analizan su destino y el futuro del universo; dos mujeres que comentan acerca del malestar social ocasionado por el aumento de los precios de la leche; Mupuempe y Timarán, dos poetas que entablan un breve contrapunto y dos campesinos que analizan los mitos y el folclor local relacionados con la Tunda, el Riviel y el Hojarasquín del Monte. Crispiniano logra pescar su gualajo, lo cual acarrea una responsabilidad: "Aquella noche, lo comprendió más tarde, había dado su primer paso decisivo en el escarpado camino que es la vida del pobre" (146).

En *El gualajo*, Nelson Estupiñán Bass incorpora a la estructura narrativa muchas ideas de otros de sus trabajos, relacionadas con la sociedad ecuatoriana. El malestar social mencionado por las dos mujeres se atribuye a la influencia comunista; sus comentarios son repetidos por dos hombres que señalan a Mergollina, el barbero, como la fuente del descontento y el agente de cambio: "Y quiere que todo se haga pronto, que los proletarios, como él dice, nos unamos en seguida" (143). La idea de un cambio social por medio del comunismo, el socialismo o algún otro método, es el tema de varios de los trabajos de Estupiñán Bass. En *El gualajo* se responsabiliza del derrame de leche, como medio de protesta contra el aumento de los precios, a Mergollina, que sufre las consecuencias: "...que pronto sería sacado del país por ser argentino, y ser uno de los que andaban pregonando

---

18   Nelson Estupiñán Bass, 'El gualajo', en *Antología de cuentos esmeraldeños,* ed. Alfredo Chávez (Esmeraldas: Casa de la Cultura Ecuatoriana, 2013): 129.

el comunismo en el Ecuador" (144). El país no está preparado para las acciones del proletariado que Mergollina propugna. La comprensión de Crispiniano de las dificultades de su futuro confirma esta suposición. Su sufrimiento se acentúa con la presencia de una pareja rica camino a su yate.

La cultura y el folclor popular están en el centro de varios trabajos de Estupiñán Bass. En 'El gualajo' hay una referencia breve a la Tunda y el Riviel, que están muy presentes en gran parte de la literatura esmeraldeña. El episodio del contrapunto presenta a Timarán, protagonista de los libros *Timarán y Cuabú* y *El desempate*. En esta instancia, Timarán no es el poeta sofisticado y ágil de gran destreza verbal, sino más bien un individuo intoxicado a quien el protagonista desplaza.

En los escritos de Estupiñán Bass se plantean muchas preguntas existenciales, que en esta historia vehiculizan Enriqueta y Rodrigo. Crispiniano escucha su larga conversación sobre la vida, el destino humano, su lugar en el orden de las cosas, como también su insignificancia. Rodrigo piensa:

> ... cuando siento que estoy dando demasiada importancia a este fugaz puñado de tierra que soy, levanto los ojos en la noche, como ahora, y contemplando la grandiosidad del firmamento, comprendo lo pequeño, lo diminuto y lo transitorio que soy (131).

Rodrigo sitúa la existencia humana en una perspectiva adecuada. Mientras los payadores se baten a duelo, los hombre intentan entender el folclor, Crispiniano trata de afirmar su adultez, Mergollina intenta generar un cambio social, Enriqueta y Rodrigo entienden que sus actividades son de poca importancia en el contexto más general.

A menor escala, en su paso de la adolescencia a la adultez Crispiniano revive el modelo épico de partida, transformación y regreso, en el marco de su cultura. El gualajo es un símbolo del obstáculo que debe superar Crispiniano antes de ser enteramente aceptado por la comunidad. Irónicamente, este rito de iniciación es un arma de doble filo, si se considera la vida que le espera a Crispiniano como adulto. Al parecer, el individuo es capaz de vencer los obstáculos personales, pero la sociedad presenta un desafío mayor para el progreso de los pobres.

Los cuentos 'Las hojas en el viento', 'El perdón', 'El milagro' y 'El gualajo' son representativos de las diversas temáticas y tendencias del repertorio narrativo de Estupiñán Bass. Desde la locura y la distopía en 'Las hojas en el viento' hasta la experiencia bolivariana en 'El perdón', la búsqueda de la identidad en 'El milagro' y la afirmación de la adultez en 'El gualajo', el lector recibe una muestra de la amplitud y la profundidad de Estupiñán Bass como cuentista.

B. Teatro

'La otra (pieza en 2 actos)' y 'Las frutas verdes' son dos piezas teatrales cortas que interpretan problemáticas contemporáneas, tales como la identidad, la etnicidad, las diferencias entre clases sociales y castas, la pobreza, el vacío generacional y el racismo. La escena inicial de 'La otra' es una confrontación tensa entre Henry y Olga, que rechaza sus insinuaciones sexuales. La pareja acaba de volver de un baile en el que él la ignoró, pero intenta acostarse con ella e ingresa a la casa de Olga. La reacción de ella ante su insinuación es muy negativa:

> ¡No, Henry, no! ¡Adiós, jamás! Te quiero, pero no así como tú lo deseas ... ¡Qué desdicha es ser negra![19]

Olga acusa a Henry de ignorarla en público e ignorar su atracción sexual hacia ella por ser una mujer negra. Olga es, además, una mujer de recursos y linaje: "¿No sabe, acaso, que soy Olga Carabalí, la heredera universal de Aniceto Carabalí, el millonario?" (49). A pesar de su riqueza y estatus social, Olga sufre una crisis interior: "¡Soy una desgraciada! ¡Este maldito color es mi infortunio" (49). Olga es víctima del 'endorracismo', un tipo de autodesprecio que se da cuando las personas negras se enfrentan a la discriminación intrínseca de las sociedades racistas y, al no tener otra solución para aliviar las presiones, se culpan a sí mismas y, sobre todo, a su color.

---

19 Nelson Estupiñán Bass, *Las tres carabelas* (Portoviejo: Editorial Gregorio, 1973): 49. Citado en lo sucesivo.

Olga continúa lamentando su situación y en un aparte que dirige el público se queja: "Uds no se dan cuenta de mi terrible sufrimiento, de las humillaciones que soporté por ser negra" (49). Esta negatividad internalizada está presente aun cuando Olga muestra una imagen positiva de sí misma: "Soy negra, pero atractiva" (49). ¿Por qué 'pero' en lugar de 'y'? Esta misma vacilación aparece en la descripción de Gonzalo, su otro pretendiente: "Gonzalo es bueno, es inteligente, pero es negro, y goza haciendo versos" (49). Bueno, inteligente, talentoso *pero* negro, luego Gonzalo no es el adecuado. El sueño de Olga es tener hijos blancos para que no sufran el mismo maltrato que ella sufre. Al final del primer acto, Olga está borracha y cuestiona la sabiduría de Abraham Lincoln al liberar a los esclavos.

Incapaz de lograr una transformación física con una crema blanqueadora, Olga experimenta un quiebre psicológico al inventar y proyectar una doble blanca. En la primera escena del segundo acto, las dos dobles vestidas con colores contrastantes se enfrentan y debaten quién es la verdadera Olga Carabalí y quién es más digna de Henry y el privilegio blanco. La Olga blanca obliga a la Olga negra a mirarse al espejo y razona: "Yo no soy (se aparta) sino tu sueño, malo o bueno, pero solamente sueño" (54). A modo de respuesta, Olga sentencia a muerte a su doble blanca porque sigue negada y obsesionada con su color.

La Muerte aparece en la segunda escena, con un ataúd que transporta a Aniceto Carabalí al infierno. El ataúd puede ser abierto por un precio justo, que es la vida del hombre al que la verdadera hija ama. La doble blanca gana la apuesta, pero al abrir el ataúd descubre los restos de un Aniceto Carabalí negro. La muerte es el precio por haber perdido la apuesta, pero las dos Olgas engañan a la muerte cubriendo el cuerpo de Aniceto con crema blanca. Toda la escena entre las Olgas y la Muerte es absurda, pero expresa que en el infierno también hay discriminación. La escena termina con una diatriba de la Olga negra luego de que la Muerte le pide que presencie la confusión que reina en la tierra:

DOBLE NEGRO.—¡Sí, sí! (Sepárase y corre, cayendo y levantando) Oigo el infernal zumbido de los aviones, el tableteo de la metralla, el horrendo tronar de las baterías, el pavoroso estallido de las bombas, el espeluznante chocar de los aceros (jadeante, desesperado). ¡África, África mía, eres una hoguera como yo! (toma al doble blanco y a la Muerte, y las obliga a echarse al suelo, en ademán de protección). ¡El Congo, Little Rock, Alabama, la Costa de Oro, Ghana, Sharpeville, el Poder Negro, viva Lincoln! ¡Lumumba, tú eres una espiral ensangrentada, la estrella negra alumbrando la tierra! (Se yergue, señala a la Muerte). Miserable, ¿por qué nos lo arrebataste a él y a Luther King, justamente ahora que estamos preparándonos para dar el gran salto? (El doble blanco y la Muerte van a sus asientos) (57).

Aquí, ella contextualiza la violencia, pero, sobre todo, aspectos de África y de la diáspora. La doble negra enfrenta a la muerte directamente en relación con el destino de Patrice Lumumba y Martin Luther King Jr., y especialmente, con el momento de sus asesinatos.

La tercera escena es un soliloquio de la doble blanca que anticipa la llegada de Henry. Pero es Gonzalo quien entra con su caracol que compone poesía y es, inmediatamente, rechazado por Olga. En la primera escena de 'La otra', Gonzalo le presenta a Olga el poema "Negrita linda, relinda,/ lo mucho que yo te quiero" (49). A pesar de que Gonzalo y su caracol poetizan la posibilidad de un futuro romántico y una familia, Olga lo rechaza por el color.

Gonzalo emplea la misma estrategia poética con la Olga blanca en la tercera escena, pero esta vez de una manera más activa. De hecho, la selección de poemas de 'La rabia' es una apropiación inter-textual de *Canto negro por la luz*, el primer volumen de poesía afro-céntrica de este autor. Este es uno de los poemas más poderosos del autor, que externaliza un sentimiento que se ha ido desarrollando en los negros a lo largo de los siglos. Gonzalo dice: "La más hermosa he-rencia legada por mis padres/ fue su rabia/ esta rabia que de repente me sube jadeante/ por la escalera de la sangre/" (59). Aunque Gon-zalo ha internalizado su rabia, ve un mundo externo lleno de odio, racismo y discriminación, con la violencia como un recurso opcional para los negros. A pesar de su actitud, Gonzalo expresa esperanza en los últimos versos y le recita el poema a Olga, que rechaza la idea de un caracol que escriba poesía y exclama: "¡Son tus palabras, negro atrevido! ¡Soy blanca!" Cuando Gonzalo pregunta por el paradero de su doble, Olga le pide ayuda a Henry y dice que un hombre negro está allí e intenta violarla.

En la quinta escena aparecen Gonzalo, la Olga blanca y Henry y la confusión aumenta aún más. Henry está encantado al ver esta ver-sión de Olga y revela que Gonzalo se parece a un hombre negro con un caracol que trabaja en su plantación y que las autoridades están bus-cando. Se percibe a Gonzalo como una amenaza para la gente blanca, la sociedad, la civilización, el orden público, la cultura y la economía. Y como enemigo público número uno, Gonzalo se enfrenta a la posi-bilidad de ser quemado vivo. Cuando afirma que quemar a una persona en la hoguera es ilegal y emplea la palabra 'patria', Henry replica: "¿Qué patria? Todos los negros son apátridas. La patria es blanca, ¡negro ma-ricón!" (61). De acuerdo con Henry, Gonzalo no tiene estado ni patria por su color y su historia.

Al mejor estilo melodramático, la doble negra llega al rescate cuando los cuatro personajes se reúnen en la penúltima escena. Henry es terminante y acusa a Gonzalo y su caracol de ser una fuerza perturbadora en sus plantaciones, dice que merece ser castigado y afirma que es un brujo. La doble negra libera a Gonzalo, proclama su amor por él mientras Henry, confundido, abandona a la otra Olga. Luego, la doble negra mata a su doble blanca, que representa su alter ego y afirma: "Era mi lado malo, mi fantasma" (62). Este acto de autoafirmación le permite a Olga y a Gonzalo aceptar su condición de negros y no dejar que las percepciones ajenas determinen sus vidas.

La identidad, el racismo y su impacto en las relaciones amorosas entre las personas son los principales temas de 'La otra'. La vida en una sociedad donde se le asigna muy poco valor a la condición de negro lleva a los individuos negros a recurrir a medidas inusuales para compensarlo. En vez de aceptar el hecho de que Henry es un racista, Olga denigra su color para tratar de estar de acuerdo con el estándar de belleza de Henry. Los juegos mentales esquizofrénicos a los que recurre Olga para complacer a Henry con un alter ego blanco revelan la verdadera naturaleza de Henry y ratifican que las cualidades de Gonzalo desplazan el dinero. El hecho de que Olga sea rica y tenga un linaje familiar fuerte no anula el hecho de que es negra, carga que debe soportar frente a algunos miembros ignorantes de la sociedad. Gonzalo está allí para aliviar el dolor.

'Las frutas verdes' es una pieza teatral que también aborda problemáticas sociales contemporáneas. La estructura externa es metateatral, una obra teatral dentro de otra, mientras que la dinámica interna indaga en un conflicto entre las generaciones de una familia pobre. Esta pieza está dividida en diez escenas que incorporan una serie de apartes y otros mecanismos dramáticos. Gran parte de la acción tiene lugar en la casa de Luciano y Clemencia. Susana, la hija de catorce años, está fuera de control debido a sus actitudes e influencias sociales.

La obra comienza y termina con discusiones intensas entre Luciano y Clemencia en relación a las escapadas nocturnas de la hija y su fama; la madre afirma:

> Otro dijo que también la conocía, que iba a la discoteca subterránea, ahí donde fuman marihuana y bailan sin descanso. Como le dijera que estaba equivocado, me dijo que yo no sabía que no era sino, no puedo decírtelo, no me salen las palabras (65-66).

Las palabras que no puede articular son "una putita de colegio". Los padres lamentan el hecho de que su hija viva en un mundo de valores distintos a los que ellos han tratado de inculcarle. Se enteran de que Susana está embarazada, presuntamente de un tal Alcides, que niega su responsabilidad. Luciano se lamenta:

> catorce años no cumplidos (de pie). Cómo caen ahora las frutas verdes de los árboles. Muchachas que deberían jugar todavía a las muñecas, salen embarazadas, de padres que les niegan los hijos, y ellas andan tranquilas, como si nada les hubiera pasado (66).

Luciano sintetiza brillantemente los estados físicos y mentales de Susana, que ve el mundo a través de la lente de una adolescente. Con apenas catorce años, no entiende, ni le importan, en este momento, las consecuencias de ser una madre soltera a cualquier edad. Alcides niega la situación y a Susana parece no afectarle su condición de una verdadera 'fruta verde', tanto en términos de edad como de madurez.

Susana no se ve a sí misma como víctima de su situación actual, sino más bien de su historia y su educación. Cuando entra en escena, está vestida de una manera que proyecta su personalidad: "Minifalda exageradamente alta, blusa que muestra el ombligo, maquillada al extremo" (73). Luciano acusa a Susana de ser producto de una era en la que "todo está sexificado" (7) y la moral es laxa. La reacción de Susana es: "¿La moral? Es cosa antigua, tu moral no es la mía, ¡y qué mal me suena esa palabra" (73). Su mayor ofensa a la familia es lo que afirma: "La moral es la madre de la pobreza" (74). Cuando Luciano habla de un cambio para mejorar, Susana responde con una lista de bienes materiales que no tienen, que refleja su estado de pobreza. Constantemente vuelve los argumentos moralistas del padre contra él.

Después de confirmar que ha sido expulsada de la escuela por estar embarazada, Susana, finalmente, alardea de su actividad sexual delante de su familia por última vez. Dice:

> Sabe algo más, papi. Después de Alcides, fui de otros, que me dieron cosas que tú no puedes darme, porque tienen lo que tú jamás tendrás (75).

En el caso de Susana, el placer y lo material están por encima de la moralidad, cuando luchar contra la pobreza está en primer plano. El conflicto de esta familia en 'Las frutas verdes' se presenta como una lucha generacional en la que cada lado se aferra a sus percepciones. El único capital que Susana tiene es su cuerpo, que explota en su propio detrimento. Luciano y Clemencia se aferran a principios morales que están en conflicto con la forma en que la gente joven se percibe a sí misma y su mundo. Al final, ninguno de los dos lados resulta ganador, en tanto la cosificación de Susana tiene muchos beneficios materiales, pero no cumple con la aprobación moral de sus padres.

Junto con la moralidad, la cuestión del honor cumple un papel importante en 'Las frutas verdes'. Luciano jura matar a Alcides por maltratar a su hija, pero Patricio, el hijo de Luciano y Clemencia, se lo impide. El motivo es el mismo que el de su padre. Patricio escuchó la conversación entre sus padres en relación a la situación de Susana y les explica que "hay un abismo entre los jóvenes y sus padres" (68). Para Patricio, mandar a Susana a una escuela donde asisten niñas de clases adineradas, donde aprenden a ser buenas esposas, no funcionó porque los mejores ejemplos se dan en la casa. Además coincide en que la pobreza tuvo un impacto profundo en el comportamiento de Susana. Patricio se ofrece a ejecutar a Alcides para que su padre no tenga que asumir esa responsabilidad y, finalmente, lo hace.

La moral aparece en un contexto irónico en 'Las frutas verdes', especialmente desde la perspectiva de Susana. Cuando sus padres condenan el embarazo, Susana responde: "¿No dijo Dios creced y multiplicaos?" (75). Clemencia y Luciano están ante un dilema; por un lado creen en las enseñanzas bíblicas, pero cuando son puestas en práctica cínicamente por Susana entran en conflicto. Ella les recuerda que no es ni la primera ni la última adolescente que se embaraza. La teoría de los padres respecto a la crianza de los hijos no se adapta a una situación de pobreza creada por la modernidad.

La dimensión metateatral de 'Las frutas verdes' es puesta en escena a partir de las acciones del Desconocido, un forastero que interviene por momentos como informante de Rigoberto, cuyo nombre en escena es Luciano. El mundo real y el ficticio chocan en las escenas cinco, seis y siete cuando el Desconocido entra en escena y le informa a Luciano que Pola, su hija, ha sido asesinada por un drogadicto en un intento de violación. Rigoberto sale de escena desconsolado:

Debí ir enantes, dejar la ficción para mirar la vida, para salvar a mi hija,

perdón, respetable público ¡Pola, Pola de mi alma, pobre hija mía! (76).

Luego de la partida de Rigoberto, el Desconocido les implora a los actores que abandonen el escenario y ayuden a Rigoberto en el drama de su vida real, pero es inútil porque el espectáculo debe continuar. En su última intervención dice: "Deberían acabar esta pendejada, y acompañar a don Rigoberto, y verán cómo se castiga a un vicioso ¡Adiós, métanse su pendejada donde no les da el sol!" (77). La amonestación del Desconocido no tiene éxito; un suplente reemplaza a Luciano, que recibe un aplauso y 'Las frutas verdes' llega a su conclusión melodramática.

Los valores morales de Luciano y Clemencia son cuestionados en las escenas nueve y diez, cuando deciden mentir sobre la ejecución de Alcides y presentar una coartada para su hijo. Pero, irónicamente, es Susana quien desbarata el plan en el terreno de lo moral e interrumpe diciendo:

¿y creen que voy a dejarlos mentir? ¿y la moral? ¿y la obligación de

decir siempre la verdad, que nos inculcaste? (79).

Nuevamente, Susana subvierte los argumentos honrados de sus padres y les demuestra que, a menudo, la moral se aplica selectivamente y depende de a quién y a qué se refieren los argumentos. En las últimas palabras de 'Las frutas verdes', Susana declara que ella asumirá la responsabilidad de la muerte de Alcides, lo que intensifica, de este modo, el dilema entre la moral y la hipocresía.

'La otra' y 'Las frutas verdes' son representaciones dramáticas que abordan cuestiones culturales de siempre: el racismo y su impacto en la identidad y la autovaloración de los negros, los trastornos mentales y el privilegio de los blancos en 'La otra' y el choque de la tradición y la modernidad, la brecha generacional, las consecuencias de la pobreza, la moral versus la hipocresía y la yuxtaposición de ficción y realidad en 'Las frutas verdes'. Ambas piezas teatrales son atemporales en su concepción, por lo que no están limitadas por restricciones temporales ni espaciales. Ambas usan de modo efectivo técnicas dramáticas como monólogos, diálogos, apartes, ironía verbal y situacional, el doble, así como otros dispositivos metateatrales. Estas dos piezas teatrales responden a la categoría de literatura comprometida de Nelson Estupiñán Bass, al plantear temas que no están limitados a un contexto nacional particular y probablemente sean de naturaleza universal.

Capítulo III: La novela

Reflexiones sobre la novela (2003)

Reflexiones sobre la novela (2003) es la teoría de Nelson Estupiñán Bass sobre los valores intrínsecos y extrínsecos de la concepción y el desarrollo del arte novelístico. En este ensayo, presenta sus ideas respecto a la relación entre historia y ficción, la evolución de la literatura ecuatoriana, su relación con la revolución, así como los males del capitalismo. La medida en que estas ideas se manifiestan en la propia producción novelística de Estupiñán Bass constituye el eje del presente análisis. Estupiñán Bass comienza su tratado con una afirmación audaz:

> La novela genuina, es decir cuando es creación de un escritor afincado en el pueblo, es, en muchas ocasiones, más historia que la historia misma, pues el relatista, a la luz de documentos fehacientes, estudia y analiza los sucesos para explicarlos añadiendo los ingredientes estéticos que, por uno u otro motivo y generalmente, el historiador no ha podido añadir.[20]

El escritor tiene la ventaja de ser capaz de embellecer los acontecimientos, mientras que el historiador, en teoría, debe atenerse a los hechos. Aquí Estupiñán Bass hace una distinción entre la historia 'oficial' y la 'intrahistoria' de una nación. El 'historiador objetivo" y el escritor 'afincado en el pueblo' pueden estar ante los mismos datos, las mismas circunstancias y personalidades, por ejemplo, pero el escritor creativo tiene la ventaja de poder alterar el material aún más que el historiador, que pretende relatar únicamente los hechos.

---

20 Nelson Estupiñán Bass, *Reflexiones sobre la novela* (Quito: Casa de la Cultura Ecuatoriana, 2003): 3. Citado en lo sucesivo.

En este ensayo, Estupiñán Bass propone una definición amplia de lo que se denomina 'novela histórica', definida como:

> una novela que se sitúa en un período de la historia y que intenta expresar el espíritu, las costumbres y las condiciones sociales de una etapa pasada con detalles realistas y fiel (en algunos casos fiel solo en apariencia) a los hechos históricos.[21]

Esta breve definición destaca que la novela histórica "intenta retratar una visión más amplia de una sociedad pasada en la que los grandes acontecimientos son reflejados según su impacto en las vidas privadas de individuos ficcionales". Los novelistas a menudo combinan una parte de verdad, una de mentira, fantasía y realidad en sus interpretaciones de la historia.

A lo largo de *Reflexiones,* Estupiñán Bass distingue entre novelistas e historiadores sobre una base ideológica y mantiene que los primeros no pertenecen a la clase opresora. Ambos comienzan con datos históricos, pero el novelista "con su observación descubre y con su pluma pinta los secretos engranajes de la sociedad, que el historicista no alcanza a divisar" (4). Si bien muchos historiadores se encargan de presentar de manera objetiva los acontecimientos culturales, los novelistas escarban en las subjetividades sociales en un esfuerzo por entender qué es lo que lleva a los personajes a pensar y actuar del modo que lo hacen en un período histórico definido.

---

21 www.britannica.com/art/historical-novel
H. Scott Dalton ofrece una definición extendida en 'What is Historical Fiction?' en la publicación online, *Vision: A Resource for Writers,* Lazette Gifford, Publisher and Editor, 2006.

Las partes más esclarecedoras del ensayo son los 'Propósitos del novelista', que son dos: "frente a mí mismo y frente a la sociedad" (9). Estos no son objetivos disímiles. Son explicados con gran detalle:

>...anhelo mostrar en el género novelesco mis imágenes del pasado y del presente y mis anticipaciones del futuro; mis novelas son una permanente búsqueda de nuevas técnicas, acordes con el variable tiempo que vivimos. Estimo que la novela debe ser un termómetro no solo de la vida social en su profundidad, esto es en su estructura, sino también en su aspecto formal o indumentarial (10).

Las expresiones novelísticas de Estupiñán Bass reflejan la mayoría de los principios mencionados anteriormente. Se percibe una progresión en la sofisticación técnica desde sus primeras novelas como *Cuando los guayacanes florecían* (1954), hasta trabajos más contemporáneos como *El crepúsculo* (1992). Una constante en las novelas del autor es el rol de estas como medidoras de la 'vida social en su profundidad', despojadas de limitaciones temporales.

En cuanto a sus obligaciones para con el amplio espectro social, Estupiñán Bass enumera tres, que, de manera abreviada, son las siguientes: 1) "Elevar el buen gusto de mis lectores..."; 2) "Recordar a la colectividad sucesos ya olvidados..."; y 3) "Despertar una angustia o un anhelo por la transformación de la sociedad actual". (11). Estos objetivos se cumplirán en tanto el lector adhiera a la ideología y la cosmovisión implícitas del autor, "al que siempre procuro recordarse que la verdadera luz del mundo ha estado y estará siempre a la izquierda" (11). A lo largo de este ensayo, Estupiñán Bass es consecuente con su convicción de que el enfoque marxista es el más apropiado para entender la sociedad y la literatura.

El autor sigue diferenciando la historia de la novela a lo largo de su ensayo y mantiene la idea de que "...una buena novela no es la relación simplista de un suceso o una historia tal como aconteció" (12). Más bien, una buena novela está compuesta por ingredientes esenciales, la verdad y la mentira, la fantasía y la realidad. La capacidad creativa del autor determinará la efectividad de estos componentes en la estructura narrativa. Más allá de las técnicas empleadas, Estupiñán Bass recuerda al lector que "...no hay arte verdadero o completamente imparcial, y aun en el que aparenta serlo, hay una proyección ideológica oculta, verdad que los artistas de la derecha política se obstinan en negar" (13).

Se espera que la mayor parte de este ensayo esté dedicada a 'Lo político y lo social', dada la actitud del autor hacia la literatura y la sociedad. Para él, el escritor debe ser leal, sincero y comprometido con el progreso social. La sociedad contemporánea demanda una obligación mayor al escritor:

> ...porque vivimos una época como tal vez antes jamás se la vivió, en la que la tragedia de nuestros pueblos demanda de la literatura, sin que pierda sus propósitos estéticos, convertirse en apelación y espada, ariete y camino, cabeza de playa y ofensiva (19).

O, en otras palabras, 'la literatura es fuego' (frase pronunciadas por Mario Vargas Llosa en ocasión de recibir el Premio Rómulo Gallegos por su mérito literario, en Caracas, Venezuela, el 4 de agosto de 1967). Al comentar acerca de la creciente importancia de la literatura y los escritores en el *ethos* nacional en América Latina, Vargas Llosa señala:

> Es preciso, por eso, recordar a nuestras sociedades lo que les espera. Advertirles que la literatura es fuego, que ella significa inconformis-

mo y rebelión, que la razón de ser del escritor es la protesta, la contradicción y la crítica.

En ese momento, Vargas Llosa era conocido como un escritor 'de izquierda', ideología que luego abandonó en las últimas etapas de su carrera. En el discurso que da al recibir este premio, Vargas Llosa expresa esperanza de "...que el socialismo nos libere de nuestro anacronismo y nuestro horror".

Estupiñán Bass ha sido coherente a lo largo de su carrera con respecto a su adhesión a la ideología socialista. Tanto él como Vargas Llosa, antes y ahora, concibieron la literatura no solo como una creación estética, sino también como un instrumento de motivación y formación de conciencia. La analogía entre estos dos grandes escritores parece apropiada, teniendo en cuenta la postura de Estupiñán Bass en relación a 'Lo político y lo social'.

El autor utiliza la sección 'Reflexiones' para criticar duramente el imperialismo estadounidense y europeo en su conflicto con el ex bloque socialista de la UR.SS.: Estados Unidos es objeto de gran parte de la desaprobación de Estupiñán Bass y declara a este país "... el mayor peligro para la paz universal" (22). Esta afirmación se sostiene en la elaboración de una lista que enumera las intervenciones en América Central, América del Sur y el Caribe. Sinceramente, esta invectiva anti EE.UU. contribuye poco a fortalecer los argumentos teóricos del autor en relación a la novela.

Estupiñán Bass no está a favor de la concepción del arte por el arte, por entenderla como un instrumento burgués, al afirmar que "muchos inadvertidos cayeron en la trampa, y las clases dominantes se sintieron felices con un arte que soslayaba los medulares problemas de la vida, sin sustancia, sin validez esencial" (24). ¿Es esta una contradicción en el pensamiento de Estupiñán Bass? Previamente, había sostenido que toda la literatura, incluida la ciencia ficción, conlleva un mensaje social. ¿Por qué no lo hace la concepción del arte por el arte?

Estupiñán Bass ofrece una lista de escritores que han contribuido al pensamiento socialista en Ecuador y que merecen su elogio:

> Afianzaron el credo socialista mediante la protesta, que es el comien-
> zo de la lucha por la implantación del socialismo que, con lucha ar-
> mada o sin ella, es la única alternativa que tiene el país para salir de
> esta especie de Edad Media en que yace desde muchos lustros (27).

Desde la perspectiva del autor, el socialismo es el remedio contra todos los males del país. A la vez, admite con convicción que es improbable que haya un cambio, armado o pacífico, en las estructuras sociales y económicas, pese a la insatisfacción expresada por los novelistas. Por lo tanto, no puede predecir el futuro del género más allá de su misión de dar a conocer América Latina al mundo.

Estupiñán Bass dedica sus últimas páginas a 'Los nuevos espacios después del Realismo Mágico' y a 'La búsqueda de un nuevo lenguaje'. Ratifica que la presencia duradera del Realismo Mágico y del Fantástico se debe a que en el mundo actual, a veces, es difícil distinguir entre lo real, lo irreal y lo imaginado. La dimensión psicológica debe ser más explorada por la escritura creativa.

En relación al lenguaje, Estupiñán Bass argumenta que en el pasado, el uso de palabras regionales y provinciales por parte de los escritores pudo haber interferido, de manera involuntaria, en la posibilidad de que sus textos sean traducidos a otros idiomas. Pero la implementación de nuevas palabras y estructuras lingüísticas plantea una pregunta fundamental acerca del propio idioma español, un asunto señalado por Estupiñán Bass:

> ¿No estamos en presencia de un neocriollismo, no estamos demostrando la incapacidad del español para cubrir totalmente el pensamiento, lo hacemos solo por alarde de creadores de palabras, o estamos de veras dándole ensanchamiento a nuestra lengua? (32).

Según esta visión, el lenguaje debe ser suficientemente flexible para adaptarse a las nuevas experiencias que los escritores de diferentes entornos incorporan en sus discursos mediante registros lingüísticos no tradicionales. Esta capacidad mantiene la naturaleza dinámica de la palabra escrita y hablada.

Reflexiones sobre la novela es la formulación teórica de Nelson Estupiñán Bass en relación a la composición y el contenido de esta forma artística. Argumenta de manera sólida a favor de la idea que el novelista es mejor intérprete de la experiencia humana que el historiador. Esto se debe a la habilidad del primero para sumergirse en la 'intrahistoria' y las vidas privadas de los individuos, así como de ficcionalizar las circunstancias según sea necesario. El novelista, de acuerdo a Estupiñán Bass, "con su observación descubre y con su pluma pinta los secretos engranajes de la sociedad, que el historiador no alcanza a divisar, de buenas o malas intenciones" (4). Para ser justos con los historiadores, su misión se relaciona con la del novelista, pero de una manera muy distinta. Para ofrecer una historia amplia de la sociedad ecuatoriana, la historia y la ficción deberían ser leídas armónicamente. Las novelas de Estupiñán Bass analizadas en este trabajo revelan en qué medida sus interpretaciones de la sociedad ecuatoriana mejoran nuestro entendimiento de la historia de este país.

Parte I: Las primeras novelas: violencia, represión política y resistencia

Nelson Estupiñán Bass publicó diez novelas: *Cuando los guayacanes florecían* (1954), *El paraíso* (1958), *El último río* (1966), *Senderos brillantes* (1974), *Las puertas del verano* (1978), *Toque de queda* (1978), *Bajo el cielo nublado* (1981), *El crepúsculo* (1992), *Los canarios pintaron el aire de amarillo* (1993) y *Al norte de Dios* (1994). En conjunto, estas novelas ofrecen múltiples interpretaciones de la realidad ecuatoriana. Estupiñán Bass trata problemáticas tan diversas como la situación histórica de los negros en este país, la identidad étnica, el mestizaje, el heroísmo, las guerras intestinas, la corrupción política, la naturaleza de la religión, la intervención y explotación extranjera, entre muchos otros temas. Las novelas más reconocidas de Estupiñán Bass, *Cuando los guayacanes florecían*, *Toque de queda*, *El último río* y *Al norte de Dios* fueron traducidas al inglés por investigadores que pertenecían al primer Instituto Afrohispánico de la Universidad Howard en Washington, EE.UU. Sus trabajos han sido objeto de estudio de los críticos más prominentes de la literatura afrohispánica, entre ellos Richard L. Jackson, Ian Smart, Miriam DeCosta Willis, Henry Richards y Stanley Cyrus.

La producción novelística de Estupiñán Bass está apenas después, en términos de cantidad y calidad, de la producción de Manuel Zapata Olivella, la gran eminencia de las letras afrohispánicas. En Ecuador, Estupiñán Bass es reconocido como un pionero y es respetado por sus aportes a la identidad literaria nacional. Al mismo tiempo, ha sido capaz de trascender lo local y lo nacional y abordar problemáticas literarias y culturales a escala internacional. Sus trabajos reflejan la evolución de su pensamiento y su agudeza creativa.

La mayor parte de la literatura afrohispánica es de naturaleza 'poscolonial', principalmente en cuanto a los temas. Los escritores que siguieron esta perspectiva, entre ellos Estupiñán Bass, son producto de sociedades que han experimentado la esclavitud, el colonialismo y gran parte de la discriminación asociada a la condición de negro en el continente americano. El español es su idioma nativo y dentro de sus parámetros incorporan temas, imágenes, metáforas, simbolismo y otros mecanismos literarios que reflejan las experiencias nacionales y étnicas y les permiten ofrecer una perspectiva privilegiada de sus sociedades. El eje de gran parte de la literatura afrohispánica es la cuestión de la identidad relacionada a la creación de un sentido de pertenencia a sociedades que, a menudo, subestiman la condición de negro.

En relación a este tema, los autores de *The Empire Writes Black: Theory and Practice in Post-Colonial Literatures* escribieron:

> Una característica importante de la literatura poscolonial es la preocupación por el lugar y el desplazamiento. Es aquí donde nace la particular crisis poscolonial de identidad; la preocupación por el desarrollo o la recuperación de una relación de identidad efectiva entre el ser y el lugar.[22]

A pesar de que Ashcroft, Griffiths y Tiffin no mencionan a escritores afrohispánicos en su estudio, muchas de sus ideas se pueden aplicar. El legado ubicuo de la esclavitud, la sensación de exilio, la construcción de una identidad afrohispánica en la que 'lo hispánico' es la norma, y la lucha por la autodeterminación económica y social son

---

22   Bill Ashcroft, Gareth Griffiths y Helen Tiffin, *The Empire Writes Back: Theory and Practice in Post-Colonial Literatures* (1989). 2nd ed. (New York: Routledge, 2002): 8.

motivos visibles en las primeras novelas de Estupiñán Bass, como también lo son a lo largo de su trayectoria artística.

Un elemento importante en el retrato que el autor hace de los personajes que buscan la justicia social es 'el imperialismo ecológico', un concepto definido por Alfred Crosby de la siguiente manera: "...el imperialismo no solo alteró las estructuras culturales, políticas y sociales de las sociedades colonizadas; además devastó las ecologías coloniales y los patrones de subsistencia tradicionales".[23]

En todas las novelas de Estupiñán Bass, el progreso en la industria minera, maderera y petrolera se produce a expensas de los menos afortunados, que son explotados, desplazados y finalmente, olvidados.

Cuando los guayacanes florecían

Cuando los guayacanes florecían (1954) y *El paraíso* (1958) son representativos de la aproximación de Estupiñán Bass a este género en la década del cincuenta. La primera es la novela más reconocida del autor por su interpretación de las primeras décadas del siglo XX en la historia ecuatoriana. En ella, se ponen de relieve las acciones de dos de los íconos históricos preferidos de Estupiñán Bass, Eloy Alfaro y Carlos Concha. *El paraíso* no tiene la dimensión de *Cuando los guayacanes florecían*. Es una mirada irónica y satírica de la corrupción y el prejuicio en Esmeraldas y la violencia que provocan en este 'paraíso' para algunos e 'infierno' para otros.

La violencia como principio organizador de las primeras novelas de Estupiñán Bass constituye el eje inicial de mis interpretaciones. El estudio clásico de Ariel Dorfman, *Imaginación y violencia en América* y 'Para una tipología de la violencia' de Julio Ortega, enmar-

---

23 Bill Ashcroft, Gareth Griffiths y Helen Tiffin, *Post-Colonial Studies: The Key Concepts*. (NewYork: Routledge, 2000): 76.

can mi análisis acerca del impacto del poder, la corrupción y la venganza en el desarrollo del personaje y la trama en las cosmovisiones del autor.[24] La intolerancia histórica de gobiernos represivos a sistemas políticos alternativos durante períodos históricos claramente definidos en Ecuador da como resultado un intento del autor por ofrecer interpretaciones de sucesos desde las perspectivas de sectores marginalizados de la sociedad.

Cuando los guayacanes florecían (1954) de Nelson Estupiñán Bass evoca *Los de abajo* (1915) de Mariano Azuela, así como otras novelas de la revolución mexicana. Si bien la rebelión o revuelta de Concha en Esmeraldas no fue una revolución, los roles ficcionales de la infantería en Ecuador y México, así como los resultados generales de las acciones bélicas son similares.

El hecho detonante en *Cuando los guayacanes florecían* es el asesinato del líder rebelde preso, Eloy Alfaro, a manos de la oposición en Quito, en el año 1912. El 27 de septiembre de 1913, el coronel Carlos Concha anuncia una campaña militar para eliminar ciertas injusticias sociales y económicas en Ecuador. Proclama "Abro hoy campaña en esta heroica sección de la República en demanda del honor y la justicia que los pueblos reclaman".[25] El capitán Pincay, cuyas tropas concentran gran parte de la atención de la novela, difunde el mensaje de Concha en toda la provincia de Esmeraldas, donde tiene lugar gran parte de la acción.[26]

---

24 Ariel Dorfman, *Imaginación y violencia en América* (Santiago de Chile: Editorial Universitaria, 1970): Julio Ortega, 'Para una tipología de la violencia,' *ECO* (febrero 1981): 21.

25 Proclama del Coronel Carlos Concha en Nelson Estupiñán Bass, *Cuando los guayacanes florecían*, (1954) (Quito: Libresa, 1987): 73. Citado en lo sucesivo.

26 Consultar Henry J. Richards, *La jornada novelística de Nelson Estupiñán Bass: búsqueda de perfección* (Quito: Editorial El Conejo, 1989). Capítulo 1, 'Historia, estructura mítica e ideología en *Cuando los guayacanes florecían* (pp. 1-24)' es un análisis formalista excelente

Al comienzo de *Cuando los guayacanes florecían* el autor aclara: "A excepción del general Eloy Alfaro, del Coronel Carlos Concha y del Sargento Lastre —personajes históricos nombrados en razón del tiempo en que se desarrolló el relato— y de la 'revolución' de Concha —hecho histórico—, todos los demás personajes y acontecimientos son producto de la imaginación" (p. 70). La novela interpreta las 'vidas privadas', la 'intrahistoria' de Esmeraldas durante un período crucial de su existencia. La rebelión de Concha, aunque positiva en el imaginario popular, no ha sido tratada amablemente por los historiadores oficiales. Oscar Efrén Reyes, en su *Historia de la República,* escribe: "No fue la 'campaña de Esmeraldas' siquiera una lucha breve y decisiva, sino una serie de sorpresas, emboscadas y asesinatos a mansalva, en el corazón de las selvas."[27] Reyes se refiere a los resultados superficiales, pero las causas que subyacen a esta 'campaña' fueron mucho más significativas. Luego pasa a afirmar: "Es este uno de los episodios más sombríos y odiosos de nuestra turbulenta 'política de reivindicaciones'". El nivel de odio y violencia manifestado por los combatientes en *Cuando los guayacanes florecían* da fe de los siglos de maltrato, falta de respeto y explotación.

La novela se divide en quince capítulos que contienen, básicamente, una trama circular, en tanto el final repite el comienzo. El título del capítulo uno es 'Florecían' y el del capítulo quince, 'Otra vez los guayacanes florecían'. A lo largo de toda la novela, la naturaleza cíclica es testigo de los actos destructivos de los seres humanos. Mientras hay armonía en el reino natural, lo contrario ocurre entre los seres humanos, que se unen para sembrar caos y destrucción:

de esta novela. 'Nelson Estupinan Bass and the Historico-politico Novel: From Theory to Praxis' de Richards analiza la interacción entre historia y ficción en las novelas del autor: *Afro-Hispanic Review* 2, 1 (January 1983): 5-12.
27 Oscar Efrén Reyes, *Historia de la República*, citado en *Cuando los guayacanes florecían*, p. 74.

En todos los cerros los guayacanes celebraban su fiesta de oro. Eternos centinelas de la ciudad en embrión, como agobiados por la sequía prolongada, daban la impresión de vocear por todos los ámbitos su alegría por la entrada de las aguas (p.76).

La trama sigue, básicamente, el recorrido de tres hombres: "Juan Cagua, hombre de color casi morado; Pedro Tamayo, de cara delgada y color amarillento; y, Alberto Morcú, un negro flaco" (p. 78). Estos hombres son 'conciertos', trabajadores no remunerados de doña Jacinta que todavía están pagando las deudas de sus padres muertos, pero liberados por el capitán Pincay por luchar por la causa de Concha. Para doña Jacinta, Tamayo, Cagua y Morcú, en realidad, no son más que una propiedad. "¡Son mis conciertos! Los padres no pagaron lo que me debían. Me los entregaron por 'tinta y papel' hasta cuando terminen de pagar" (p. 84). Este es el tipo de neoesclavitud que la rebelión conchista busca eliminar. Lo irónico de este episodio es que los 'conciertos' de doña Jacinta le son entregados una vez que se aplaca el espíritu revolucionario.

La novela destaca los prejuicios regionales. Alberto Morcú, por ejemplo, tuvo poco o nada de contacto con los 'serranos', pero "Había oído decir que eran hipócritas, sucios, mezquinos y adulones" (p. 80). Las fuerzas del gobierno se refieren a los rebeldes como "...estos levantiscos, negros salvajes, enemigos de la civilización" (p. 89). El resultado de esto es un conflicto fratricida caracterizado por la violencia y avivado por percepciones falsas de 'machismo'. Pincay motiva a su tropa diciéndoles que "Esmeraldas es la cuna de la valentía" y que deben vengarse de los que arrastraron los cuerpos de Alfaro y sus seguidores por las calles de Quito.

El primer capítulo de *Cuando los guayacanes florecían* define los principales temas que se desarrollarán a lo largo de la novela y los yuxtapone de manera irónica: civilización/barbarie, costeños/serranos, esclavitud/libertad, historia/intrahistoria y naturaleza/seres humanos. La violencia es el tema que unifica todos estos componentes. Con las fuerzas del capitán Pincay como punto central, el lector observa la trayectoria ascendente del movimiento de resistencia, su traición y la disolución final.

Pincay y sus hombres están yuxtapuestos con las tropas conservadoras del teniente Cifuentes, la principal fuerza opositora de Esmeraldas. Entre quienes conforman el segundo grupo, la atención narrativa recae en Gabriel Simbaña, "indio metido a soldado de línea por el afán de salir de su aldea de la Sierra y no vivir la vida miserable de los otros..." (p. 90). Gabriel resulta tener más cosas en común con los ex conciertos que diferencias. Para las tropas de Cifuentes, cualquier campesino es el enemigo, tal como se revela en el ataque al pueblo 'El Recodo', donde Miguel Bagüí y sus compañeros, "dos hombres de color negro que tenían machetes y escopetas" (p. 91), son acusados de conchistas y golpeados y donde la mujer de Miguel es violada y asesinada. Luego, Bagüí se une a los rebeldes, lo cual tiene resultados contradictorios. La violenta escena de la violación representa una fusión del orden natural con el humano, en la medida en que el narrador intenta ligar la criminalidad con una función cosmológica:

> Era la tierra, llena de ríos y de sol, indómita, salvaje, lujuriienta y diabólica la que se había metido el incendio en la sangre de estos pobres soldados (p. 95).

Sin embargo, la raíz de esta atrocidad es la falta de respeto hacia las mujeres, que no se puede justificar invocando el instinto.

Lo absurdo del aparente carácter faccioso de *Cuando los guayacanes florecían* se vuelve evidente en el capítulo tres, 'La emboscada', en una confrontación simbólica entre Alberto Morcú y Gabriel Simbaña, después de que los rebeldes derrotan a las tropas conservadoras. Su confrontación es una lucha que acaba con la muerte:

> ¡Botate a la pampa, serrano maldito!
> ¡Negro imbécil! — le replicó el soldado—. ¡Allá voy! (p. 110).

"¡Déjenlos! ¡Son dos machos!" es la actitud de los espectadores que observan cómo dos marginados sociales se enfrentan en un combate mortal en el que Simbaña resulta perdedor:

> Y junto al tronco de un árbol de zapote, uno tras otro los machetazos inflexibles del liberto acabaron con el desventurado Gabriel Simbaña (p. 110).

Recién cuando encuentran la carta de la familia en el bolsillo de Simbaña, Morcú y sus compañeros se enteran de la situación de la víctima y su familia. El padre de Gabriel escribe:

> "Te contaré que mi deuda sigue aumentando y que no tengo esperanza de pagar. Ojalá que tú consigas algo por allá y me mandes, porque sé muy bien que mi fin se acerca y no quisiera morir de concierto" (p. 118).

Esta situación es la misma de la que Morcú acaba de ser liberado.

La traición a los ideales revolucionarios la encarna la figura de Miguel Bagüí, quien luego del abuso que sufre a manos de las tropas conservadoras, se convierte en uno de los más sangrientos cazadores de conchistas. Bagüí acuerda con don Rodrigo Medrano de Pereira y Quezada robar ganado, que busca consolidar su riqueza y poder y convertirse en gobernador de la provincia. Durante este proceso, don Rodrigo traiciona a Bagüí y lo asesina.

Gran parte de la violencia en *Cuando los guayacanes florecían* es horizontal una acción de destrucción interna entre individuos de la misma condición socioeconómica. Muy pocos actos de violencia exitosos son verticales o dirigidos hacia los ricos y poderosos de la provincia. La autodestrucción de los pobres le permite a la oligarquía mantenerse en el poder socavando, de este modo, cualquier esfuerzo por un cambio social significativo. Los esfuerzos vanos del levantamiento se evidencian en febrero de 1905, cuando el narrador supone:

> De algunos lugares los facciosos habían sido desalojados, dejando en su retirada muchos muertos y heridos. En la ciudad y en los campos dominados por los leales la situación tampoco era agradable. Escaseaban la comida y los medicamentos. En los campos los sembríos estaban totalmente perdidos, y el monte había subido altanero a muchas casas, tapándolas por completo (p. 189).

El resultado final de más de un año de combate atroz parece confirmar la afirmación inicial de Oscar Efrén Reyes en relación a que la insurrección fue "uno de los episodios más sombríos y odiosos de nuestra turbulenta 'política de reivindicaciones'" (p. 74).

Dado que la ironía es uno de los principios organizadores de *Cuando los guayacanes florecían,* ¿cuál es su rol en el desenlace final de la novela? ¿Qué queda de los esfuerzos que, de buena fe, hacen los oprimidos para mejorar su situación social y económica? La mayoría de los combatientes conchistas están muertos o más afectados por la pobreza que antes de la rebelión. Juan Cagua y Pedro Pablo Mina están volviendo a su condición anterior como 'conciertos', mientras Alberto Morcú no tiene la misma suerte:

"Atrás, para que no molestara el mal olor a la comisión, cargados por dos civiles, en una estera ensangrentada, venían los restos de Alberto Morcú" (p. 271).

El ciclo se completa.

¿La solución es otra rebelión como la de Concha? Ayoví tiene la respuesta:

No, porque eso no fue revolución. Eso fue una ola de criminalidad, y nada más. Una revolución tiene siempre un plan, digo un programa, y ¿qué programa tenía la llamada revolución de Concha? (p. 268).

El mensaje de la novela es que no se conseguirá un cambio total de las estructuras sociales y económicas con violencia reaccionaria o espontánea.

Incluso el lenguaje, el folclor y otros aspectos de la cultura popular están imbuidos de una retórica de la violencia. En el capítulo siete, 'El curandero' Rómulo Charcopa cuenta las veces que fue explotado como aprendiz de 'el maestro Olave'. Olave es un curandero experto y un herborista que también se especializa en víboras y las utiliza con propósitos buenos y malos. Esto se evidencia en una disputa por los límites de un terreno entre Olave y Cheme, su vecino:

Y se cogieron a machetearse y se dieron duro, como berracos. El viejo Olave salió con un brazo cortado y con una oreja casi volada. Cheme quedó cortado un hombro. A los pocos días de esto, a Cheme le picó una equis en una pierna cuando estaba reposando en la cama (p. 154-55).

Este negativo manejo de machismo que llevan adelante los dos hombres viejos se exacerba con la intervención de la víbora y la prevención de una cura, según lo ordena Olave. Al parecer, la víbora que muerde a Cheme fue enviada por Olave y Charcopa, como discípulo de Olave, no puede intervenir, por lo que Cheme muere de manera dramática. "El veneno se le había regado, y todos los poros parecían una piedra que filtraba sangre" (p. 156). El hijo de Cheme, a la vez, mata a Olave y es llevado a la cárcel. Ercilio Sánchez el 'Pelacara', soldado criminal que robó y mató en el río Limares, cuenta otro relato sangriento. Recibe ese apodo por el tipo de actividad que realiza: "... ocultos en la trocha, pelaron la cara del muerto, a fin de que no pudieran identificarlo" (p. 129). Sánchez muere al recibir una bala enemiga cuando termina de hacer un resumen de su vida.

Quizás el acto de violencia más atroz es el cometido contra la libertad de prensa cuando el periódico popular *El Pueblo* combate el silencio de los derrotados. Los actos atroces cometidos contra gente inocente "denunciados y criticados duramente desde las columnas de *El Pueblo*, pusieron en claro los siniestros propósitos de los 'gusanos'" (p. 213). Los 'gusanos' hace referencia a la oligarquía oportunista que busca consolidar su poder luego de la revuelta. Esto se logra mediante el fraude, la mentira, la intimidación y el asesinato. *El Pueblo*, como última fila de la defensa, encuentra un final predecible: "Aun cuando estaba oscuro frente a los destruidos talleres de *El Pueblo*" (p. 233). Destruido completamente por el fuego, el diario ofrece la motivación para el último acto de resistencia manifiesta contra los 'gusanos'. Pero es demasiado tarde.

La cosmovisión que se transmite en *Cuando los guayacanes florecían* expresa la imposibilidad de un cambio revolucionario por parte de los pobres en sociedades dominadas por los militares y la oligarquía. La perspectiva de Estupiñán Bass está muy a tono con las visiones expuestas por otros escritores afrohispánicos en sus interpretaciones de los conflictos humanos y naturales en sectores rurales de América del Sur. El clasismo y el racismo son difíciles de superar en pigmentocracias sociales que existen desde el primer encuentro entre la cultura indígena, la europea y la africana.

El paraíso

El paraíso (1958), segunda novela de Nelson Estupiñán Bass, no se desenvuelve con la misma fluidez que *Cuando los guayacanes florecían*. Si bien ambos textos abordan aspectos de los mismos problemas sociales, políticos y económicos, *El paraíso* es mucho más específico. Está contada desde la perspectiva de un narrador testigo en primera persona, que observa la explotación de estos sistemas y la corrupción por parte de funcionarios locales en Esmeraldas. El narrador, cuya identidad es revelada más tarde como Rosendo, es un guardia que trabaja para el Estanco (negocio del gobierno, archivos o, en Ecuador, una licorería). Accede a mucha información pública y privada de la gente del pueblo y funciona como los ojos y los oídos del novelista. En los tres primeros capítulos, de un total de quince, se define gran parte de los problemas que la novela aborda, así como las fuerzas en disputa.

En los capítulos con insinuantes títulos, como 'Las máscaras rotas', 'La lepra' y 'A calzón quitado', el narrador escucha a escondidas lo que algunos de los líderes más poderosos de la ciudad, entre ellos el Dr. Melanio Chichande Rentería (Rasputín), jefe del Partido Liberal o 'zorros', Monseñor Hierbabuena y don Cayetano, dicen en un encuentro conspirativo. Estos líderes conspiran, entre otras cosas, para asesinar al líder de la oposición Luis Segundo y Cristiano. Este asesinato desata una cadena de acontecimientos que provocan casi una anarquía, hasta que se restauran la ley y el orden.

El tema de la corrupción predomina en *El paraíso,* donde un acto de corrupción conduce a una confrontación temprana entre Chichande Rentería y, nada más ni menos que, el presidente Pedro Chichande por la desaparición de 12.000.000 de sucres. Rentería dice:

> Dr. Chatarra —continuó acusador—, Ud. se ha robado los doce millones de sucres destinados a nuestra carretera. Ya no caben explicaciones. ¡Yo cumplo con mi deber de ciudadano, y lo señalo esta mañana, ante la historia, como un desvergonzado saqueador del tesoro público![28]

La respuesta del Presidente es igual de exagerada:

> ¡No soy ladrón, Dr. Chichande! ¡No soy un pícaro! ¡No me he robado ni un solo centavo! ¡Mis bolsillos están vacíos! ¡Venga acá para que los vea!... ¡El pueblo ecuatoriano sabe que soy un hombre honrado, el único Presidente honrado que ha tenido el país! ¡Los bellacos son otros, como su padre, por ejemplo, Dr. Chichande! ¡Su padre, que vendió hace algunos años el batallón del que era jefe, y por cobardía y por dinero se puso al servicio de la infamia, del fraude electoral y las oligarquías! (p. 43-44).

Chatarra puede elegir otras palabras para describir al padre de Chichande, pero en un gesto magnánimo, lo perdona. Si se trató de un episodio preparado o no, el lector nunca se entera, porque al cabo de un breve perío-

---

28   Nelson Estupiñán Bass, *El paraíso* (Quito: Casa de la Cultura Ecuatoriana, 1958): 43. Citado en lo sucesivo.

do, Chichande Rentería se encuentra con Chatarra en Quito y Chichande Chamorro aparece como Ministro de Gobierno.

En los muchos acuerdos y arreglos llevados a cabo por los zorros, la oligarquía gobernante, los perdedores son los pobres o perros. Un 'perro' en particular, Camilo Ordóñez, se destaca por su comportamiento antisocial y autodestructivo. Se lo describe como un "gigantesco negro... —1,95 metros de estatura—, que se había radicado en el balneario Las Palmas, al que tenía aterrorizado con sus groserías, desmanes y escándalos" (p. 50). Ordóñez es hijo bastardo y su origen se vincula a la máxima ironía de la novela, porque en su estado de ebriedad suele gritar:

"¡Soy Juan sin padre! ¡*Mama, mama* ¿por qué antes de *morí* no me quisiste *decí* quién es mi taita?" (p. 50-51).

La sorprendente respuesta a esta pregunta se produce en el clímax de *El paraíso*.

La naturaleza irónica de la metáfora planteada por el título se evidencia en los primeros tramos de la novela. Cuando se produce la conspiración inicial, los participantes sellan un trato. El capitán Grijalva, otro de los personajes, dice:

Ciertamente, el Coronel Chichande Chamorro tiene razón. Esta tierra es el paraíso, como lo ha dicho por la prensa. ¡El verdadero paraíso terrenal!—exclamó lanzando una densa bocanada de humo.
—Efectivamente, no hay tierra como esta tan parecida al paraíso, aprobó Hierbabuena. (p. 73)

El Dr. Chichande Rentería coincide. Pero si Esmeraldas es un paraíso terrenal, explotado según la voluntad de los militares, la iglesia y la oligarquía, se convirtió en un infierno para los 'perros' y otros sectores menos afortunados de la provincia. La ironía es central.

El narrador lleva al lector en un recorrido a través de una red de corrupción, contrabando, violencia y actividades ilícitas de políticos. Se intercala una serie de entretenidas historias de interés humano, tales como 'Las cinco rosas del Almirante' que trata de las dificultades y tribulaciones de Humberto Valencia, el Almirante, y sus relaciones con cinco mujeres distintas llamadas Rosa. Personajes de vidas muy variadas y de distinto origen étnico pueblan *El paraíso*. La prostituta Antonia Ortega tiene un papel destacado en la resistencia a la dominación de los gobernantes; la llaman 'La Constitución' porque brindó sus servicios sexuales a todo el batallón de tropas de Constitución. La violencia y la falta de respeto hacia las mujeres es un fenómeno importante en la novela.

Los sucesos culminantes de *El paraíso* ocurren en el capítulo doce, acertadamente titulado 'La cúspide', cuando la batalla entre zorros y perros, serranos y costeños alcanza su pico máximo. Una muchedumbre se cobra venganza, como en el caso de Amelia Posligua, que es asesinada por un crimen que su padre ya fallecido presuntamente cometió en un pasado remoto. Amelia proclama su inocencia, "...más la ciega venganza de La Constitución terminó triunfando: casi desnuda, en medio de una infernal gritería, la bajaron de la casa, y la poseyeron muchos hombres, cerca de la orilla,..." (p. 255). Pero en la urgencia por cumplir la sentencia, se borran las cuestiones étnicas, las de género y la verdad.

La muerte del Dr. Chichande es dramática y evoca la cultura del linchamiento en Estados Unidos. Irónicamente, Camilo Ordóñez, junto con La Constitución, es el protagonista principal del hecho:

Camilo le colocó el lazo, se lo ajustó, luego se retiró al centro, se dirigió a la estaca y desamarró el cable. Se echó saliva en las manos, se las frotó, y comenzó a tirar la soga. Rasputín empezó a ascender.

—¡Viva Camilo Ordóñez! —retumbaba ahora el grito general en el paraje, mientras el cuerpo del Dr. Chichande oscilaba ligeramente bajo el hobo. La Constitución, en el paroxismo de la venganza, trepó con dificultad a lo alto del árbol, seguida y ayudada por Camilo Ordóñez y José Cusme, y vertió la lata de gasolina sobre el cadáver (p. 262-63).

Esta escena remite, como se dijo antes, a las bandas de linchamiento del sur de Estados Unidos y probablemente sea exclusiva de la literatura afrohispánica. Por otro lado, la imagen del hombre negro como verdugo es persistente en la literatura hispanoamericana, al menos desde *La Araucana* (1569) de Alonso de Ercilla y Zúñiga.

La naturaleza irónica de este linchamiento se profundiza por las implicancias fratricidas del acto. Lo que pretende ser un acto vertical de violencia contra los gobernantes es exactamente lo opuesto. Es durante este episodio que Camilo Ordóñez descubre su verdadera identidad, en la confrontación final con el Coronel Chichande Chamorro, Ministro de Gobierno:

Ordóñez logró asirlo del brazo. El Coronel estuvo a punto de desmayarse. El negro alzó el cuchillo, que resplandeció por un instante bajo el sol. El Ministro, temblando ante Camilo, confesó:

—¡No! ¡No! ¡Qué vas a hacer, hijo! ¡Yo soy tu padre! ¡Sí! ¡Yo!...¡Yo!...(p. 272).

Contra la voluntad de la multitud, Camilo perdona a su padre. Los actos de rebelión de *El paraíso* comienzan a disminuir luego de que los perros satisfacen su sed de venganza. Muchos de ellos son arrestados y finalmente liberados por el Presidente Chatarra, que manipula hábilmente a ambos grupos hasta el final. El clima de incertidumbre del comienzo de la novela sigue presente al final.

Parte II: La evolución novelística. Dentro y fuera de las corrientes principales

El florecimiento de las letras hispanoamericanas en los años sesenta y setenta fue un suceso comercial y artístico sin precedentes, pero los autores afrohispánicos no estuvieron entre los autores elegidos para publicar en el extranjero, ser traducidos ampliamente ni convertirse en objeto de numerosos estudios críticos. Los escritores negros pusieron en práctica las mismas tendencias propias del *Boom*, el post *Boom*, así como las tendencias posmodernas y otras nociones literarias que historiadores y críticos destacan. Por ejemplo, Donald L. Shaw elaboró una sistematización de las características del *Boom* que son aplicables a las novelas de Nelson Estupiñán Bass:

> 9. La tendencia a abandonar la estructura lineal, ordenada y lógica, típica de la novela tradicional (y que reflejaba un mundo concebido como más o menos ordenado y comprensible), reemplazándola con otra estructura basada en la evolución espiritual del protagonista, o bien con estructuras experimentales que reflejan la multiplicidad de lo real.
>
> 10. La tendencia a subvertir el concepto del tiempo cronológico lineal.
>
> 11. La tendencia a abandonar los escenarios realistas de la novela tradicional, reemplazándolos con espacios imaginarios.

La tendencia a reemplazar al narrador omnisciente en tercera persona con narradores múltiples o ambiguos.

Un mayor empleo de elementos simbólicos.[29]

Nelson Estupiñán Bass emplea muchas de estas estrategias narrativas, combinadas con poderosos mensajes sociales, a lo largo de su producción novelística. Desde *El último río hasta Al norte de Dios* el canon hispanoamericano se enriquece por la cantidad y la calidad de las novelas de Nelson Estupiñán Bass, trabajos que presentan una profunda interpretación de la experiencia humana en Ecuador y otros países. Las novelas analizadas en esta sección ejemplifican aún más el dominio técnico del autor, así como las relaciones entre la forma y el contenido.

El último río (1966) representa una transición de lo tradicional a lo moderno, en la trayectoria novelística de este autor. Combina la preocupación por el sufrimiento del ecuatoriano común con técnicas innovadoras propias del *Boom*. Esta novela explora la composición étnica de Ecuador y las tensiones que eso provoca, desde una variedad de perspectivas. No es el contenido, que no ha cambiado, lo que sitúa a Estupiñán Bass en el marco del *Boom* literario, sino más bien la técnica. Sin embargo, los escritores afrohispánicos no fueron reconocidos ni incluidos en el discurso crítico ni en la comercialización de sus publicaciones.

El último río

El último río (1966) es una novela que indaga en la naturaleza cambiante de la identidad ecuatoriana. Es una prosa metaficcional que explora el concepto de mestizaje y su impacto en el bienestar

---

29 Donald L. Shaw, *Nueva narrativa hispanoamericana* (1981), 2nd ed. (Madrid: Cátedra, 1999): 250. .

sociológico y psicológico de la sociedad, según las interpretaciones de Estupiñán Bass.

'Metaficción', de acuerdo con Patricia Waugh, "es un término que se da a escritos ficcionales que de manera consciente y sistemática atraen la atención a su condición de artefacto, con el fin de plantear preguntas acerca de la relación entre la ficción y la realidad".[30] Entre las principales características de la metaficción se encuentran "a) una celebración del poder de la imaginación creativa junto con la incertidumbre acerca de la validez de su representación; b) una autoconciencia extrema sobre el lenguaje, la forma literaria y el arte de escribir ficciones; c) una inseguridad generalizada acerca de la relación entre la ficción y la realidad y d) un estilo de escritura paródico, lúdico, exagerado o engañosamente ingenuo". Estas características se manifiestan a partir del Prólogo inicial de *El último río* y se sostienen a lo largo del desarrollo narrativo. Esencialmente, esta es una novela que aborda el modo en que se constituye y se comunica. Está basada en las notas que dejó José Antonio Pastrana y el testimonio oral de Ana Mercedes, su esposa.

La novela comienza cuando Juanito, el narrador protagonista, se encuentra con Ana Mercedes Lazo, ausente de la ciudad desde hace doce años, en un vuelo de Quito a Esmeraldas. Este encuentro desencadena el recuerdo de los vínculos que había entre Ana y Juan durante la infancia y la adolescencia, a la vez que contextualiza la dinámica social local. En este Prólogo, además, la metáfora central de la novela se establece en una conversación entre Alfredo Cortés y José Antonio Pastrana, el protagonista masculino:

---

30   Patricia Waugh, *Metafiction: The Theory and Practice of Self-Conscious Fiction* (New York: Methuen, 1984): 2.

—No sé—díjole Pastrana, colocando sobre la mesa un libro que había estado hojeando —si estarás de acuerdo conmigo, pero la verdad es que para mí las mujeres son como los ríos.

—¿Cómo los ríos?—preguntóle sorprendido su acompañante.

Sí, como los ríos. Te explicaré. ¿No crees que una mujer, al nacer, es casi como un río cuando este comenzó a caminar sobre la tierra? Así como la madre en su desgarramiento siente júbilo, la tierra debe haberse alegrado, cuando, tras sus convulsiones, pudo lanzar sus primeros ríos hacia el mar. ¿No te parece?[31]

La metáfora del río asociada a la mujer se extiende a lo largo de la novela. Ana Mercedes se convierte en el 'último río' de Pastrana, que este no es capaz de trascender. Es sentenciada a prisión por matarlo, pero insiste en que la historia real de su relación debe ser contada a través de Juan. Los objetivos de Ana se aclaran en una conversación mantenida poco antes de su muerte con Juan, en la que él cuestiona el manejo de los textos fundantes de *El último río*:

—Ana Mercedes —la interrumpí— olvidemos todo eso. ¿No te parece que, una vez leídos, debo quemar los manuscritos?

—¿Quemarlos dices? No, Juan, así como deseo que la luz y el aire penetren a las habitaciones de nuestra casa, quiero que mi tragedia sea expuesta a la luz pública, para que sepan lo que realmente sucedió; por eso te he obsequiado los papeles.

—¿Expuesta? ¿Te das cuenta de lo que eso significa?

—Claro, lo he meditado mucho.

—¿Qué pretendes con eso?

---

31 Nelson Estupiñán Bass, *El último río* (1966) (Quito: Libresa, 1992): 68. Citado en lo sucesivo.

—Que todos sepan la verdad.

—¿La verdad?

—¿Qué? ¿Tú también le tienes miedo a la verdad?

—No, pero ¿qué vas a ganar con eso?

—No sé a ciencia cierta, pero me siento a oscuras, y quiero luz, te lo juro.

—¿Sugieres entonces una publicación?

—Tú sabes más que yo de estas cuestiones. Yo solo podría ayudarte en lo que creas conveniente, si te animas. Ya te dije el otro día que los manuscritos son enteramente tuyos; haz de ellos lo que quieras, pero te insisto en que deberías escribir esta historia para que no sigan creyéndome una envenenadora (p. 81-82).

El cuerpo de *El último río* corresponde al manuscrito intertextual que Juan escribe en su búsqueda de la 'verdad' sobre la relación entre Ana Mercedes y José Antonio, así como de sus implicancias para la sociedad ecuatoriana. Enmarcado entre un prólogo retrospectivo y un epílogo contemporáneo, la novela busca responder la pregunta básica: ¿qué es ser ecuatoriano y cómo se construyen las identidades étnicas en una sociedad racista? La novela incorpora varias de las características metaficcionales elaboradas por Waugh, tales como la autoconciencia sobre el lenguaje, la forma literaria y el arte de escribir ficciones, así como una inseguridad acerca de la relación entre la ficción y la realidad, entre otras. Básicamente, *El último río* plantea más preguntas que respuestas acerca de la relación entre la ficción y la realidad en sus interpretaciones de la sociedad ecuatoriana.

Helcías Martan Góngora ha escrito en relación a *El último río* que: "Bajo la piel de la ficción transita la sangre de un grupo humano, que todavía no se encuentra étnicamente."[32] De hecho, la identidad es el tema principal de la novela. Está relacionado con otro tema importante en el continente americano, el de 'mejorar la raza', es decir, la idea de mejorar biológicamente la composición étnica de los negros y los indios mediante una infusión de sangre europea. Esta idea ha prevalecido en todo el continente americano durante décadas y es la base del desacertado análisis de Pastrana cuando racionaliza su comportamiento. Está obsesionado con poseer a una mujer de piel más clara que la suya y con ser padre de un niño 'blanco'. Pastrana reconoce, de manera reticente, la importancia del color de piel en la sociedad:

> Largo rato meditó, estimulado por sucesivas copas de licor, sobre la superioridad de las razas, y descubrió —¡portentoso descubrimiento!— que él era un negro, que, aunque fornido y opulento, no podría dominar a los demás debido a la desventaja en que se encontraba por la mancha... de su color (p. 150).

Pastrana internaliza la idea de la inferioridad de los negros y durante toda su vida se empeña en una serie de actos de autodesprecio concebidos con el objeto de 'igualarse' a los blancos.

A modo de parodia de las relaciones étnicas en Ecuador, *El último río* invierte el paradigma racista. Aquí, el hombre negro es protagonista y progenitor. Pero es precisamente en ese punto donde radica la ironía de la novela. Luego de mantener relaciones sexuales y vivir en concubinato con mujeres de todo el espectro social y de distintas coloraciones de piel, José Pastrana se casa con Ana Mercedes, de 23 años de edad, su trofeo blanco, a la edad de 70 años, y descubre que ¡es impo-

---

32 *Boletín Cultural y Bibliográfico*, 10, 2 (1967): 356.

tente! ¿Esto se debe a transgresiones pasadas, a brujerías o al hecho de que Pastrana abandona a Consuelo, la madre negra de sus hijos?

En la introducción a *El último río*, Susana Aguinaga Z. identifica el amor como uno de los motivos primarios de la novela y lo caracteriza de la siguiente manera:

> El amor apasionado hasta la locura, audaz, violento, selvático. El amor
> puramente instintivo, animalizado. Y entre todos estos matices de amor,
> se debate el hombre siempre en búsqueda de la felicidad (p. 37).

De hecho, el amor tiene muy poco que ver con las relaciones personales de *El último río*. Aguinaga confunde el amor con el sexo, la lujuria, la autoprivación y el odio. Más bien, la novela representa un machismo negativo y fallido por la naturaleza obsesiva del comportamiento de José Antonio Pastrana. Con el fin de tener un hijo blanco con Teresa, la esposa de Cristóbal Vélez, Pastrana hace un plan para que Cristóbal muera en un accidente de navegación. El intento fracasa, Cristóbal regresa meses más tarde y se encuentra con Teresa embarazada y con Pastrana.

Les dice:

> Si quieres tener un hijo blanco, tienes que prestarle esta p... a un hom-
> bre blanco, para que él te la preñe... ¿Comprendes? ¿Crees que esta
> mujer te quiere? ¿Sabes de lo que está enamorada? De la plata que
> ahora tienes, del lujo que le das. ¿Por qué no te quiso antes, cuando
> eras un pelado? (p. 165-66).

Los comentarios de Cristóbal suenan verdaderos porque Teresa es una cazafortunas dispuesta a sacrificar su dignidad social por la ilusión de riqueza y poder. Cristóbal es baleado y asesinado por Caifas, el lacayo de Pastrana y el bebé nace, pero muere al poco tiempo. Lo que une a Teresa y Pastrana son intereses personales: dinero en el caso de ella y, en el caso de él, la idea equivocada de que podría ser padre de un niño 'blanco' que se convertiría en presidente. Cristóbal tiene razón cuando expresa los motivos que hay detrás de la relación. Al poseer a Teresa, la mujer más hermosa del pueblo, Pastrana se venga de Cristóbal que lo hizo azotar por robar dinero, a pesar de haber sido el propio Cristóbal quien se lo había ordenado antes.

Un intento anterior de Pastrana de implementar cierta ingeniería genética con Sofía y su madre, Zoila, fracasa porque embaraza a ambas, Sofía se suicida cuando descubre el amorío de su madre y Zoila da a luz a Abelito, un hijo "moreno, más negro que blanco" (p. 129). Pastrana no reconoce a Abelito como su hijo, abandona a Zoila y Abelito muere más tarde. En ambos casos, el esfuerzo de Pastrana por mejorar la raza fracasa.

Su obsesión de tener un hijo blanco solo es superada por la negación de su color negro. Este odio a sí mismo, conocido como 'endoracismo', se manifiesta cuando el presidente designa a Pastrana gobernador de la provincia:

Pondría a mi hermano Eleuterio en... No, no ¡Qué brutalidad estoy diciendo! Eleuterio es negro. Me desacreditaría. Pero... ¿cuál es mi gente? ¿Los negros? ¿O los blancos? ¡Pendejada mi gente son los blancos! ¡Los negros, jamás! Ellos nacieron para esclavos, eso serán toda la vida, porque son brutos. Yo soy negro, sí, soy negro, pero soy de otra clase, no como ellos. Yo soy igual a los blancos, solamente que soy negro. ¿Y qué? Soy negro por fuera, pero soy un blanco por dentro; soy inteligente como ellos, soy rico como los blancos inteligentes. Y estoy a la cabeza de todos los blancos por mi inteligencia y mi trabajo. ¿Cuál blanco se para delante de mí? Ahora mismo el Presidente me ha propuesto la gobernación de la provincia, sí, señor, la gobernación de la provincia. ¿Por qué no se la propuso a un blanco? ¡Qué estoy diciendo! ¡Yo soy un blanco en el fondo! (p. 169).

Aquí se manifiestan las contradicciones internas de Pastrana en relación al color de piel, la raza y la inteligencia. A esta altura, Pastrana no puede encontrar ningún valor positivo en el color negro. Por otro lado, el color blanco, con el cual se identifica, equivale a la riqueza, el poder, la inteligencia y la belleza. Pastrana cree que hay una inferioridad innata en el ser negro, situación que puede ser remediada con una infusión de sangre blanca: "También puedo conseguir con el Presidente que manden aquí unos cien gringos para cruzar la raza…entonces mejorará la población…" (p.170). Vale la pena destacar que esta solución fue probada muchas veces antes en países hispanoamericanos y siempre fracasó.

Contrariamente a algunas interpretaciones, el 'último río' que Pastrana es incapaz de trascender no es Ana Mercedes, sino la aceptación de su identidad de hombre negro en Ecuador. Es, básicamente, consumido por un río de blancura que Ana encarna y por la negación de todo aspecto positivo que se pueda asociar al color negro.

Senderos brillantes

Las novelas de la década de 1970 de Nelson Estupiñán Bass también se organizan en torno a temas metafóricos. *Senderos brillantes* (1974), *Las puertas del verano* (1978) y *Toque de queda* (1978) incorporan tendencias de la 'nueva novela' hispanoamericana y plantean agudos análisis sociales. *Senderos brillantes* es un trabajo alegórico de una estructura binaria y paralela. El prólogo, compuesto por cartas dirigidas al autor, ofrece múltiples perspectivas de la sociedad, de abajo hacia arriba, y destaca la dicotomía entre ricos y pobres, desarrollo y subdesarrollo, militarismo y actitud pasiva. Este componente introductorio representa la intertextualidad en su máxima expresión, al punto que pretende demostrar cómo ser un escritor exitoso dentro del modo metaficcional delineado por Waugh.

Los dos hilos narrativos paralelos de *Senderos brillantes* están indicados con números y letras: del 1 al 56 y de la A a la Z, respectivamente. Muchas de las preocupaciones articuladas en las páginas preliminares se plantean en las secciones con letras. En relación a esto, el autor implícito en primera persona funciona como una voz narrativa de la consciencia directa. En consonancia con la estructura binaria de *Senderos brillantes,* los dos polos geográficos son Girasol, el estado central dominante, y Calamares, la periferia de la isla. Alegóricamente, Girasol representa Ecuador y Calamares las Galápagos. Tanto Calamares como Girasol están controlados por los Estados Asociados, una referencia velada y sutil a Estados Unidos de América.

'Cartas al autor' presenta, en líneas generales, las problemáticas básicas que se desarrollarán en la novela. Este dispositivo epistolar le permite al autor poner en primer plano los puntos de vista de un amplio espectro de la sociedad, desde múltiples perspectivas. Estas cartas ponen al descubierto el texto de la novela, el manuscrito, como un trabajo en proceso que los escritores se sienten libres de criticar sobre la base de sus conocimientos y prejuicios.

Al comparar *Senderos brillantes* con las primeras novelas de Estupiñán Bass, Richard Jackson escribió: "*Senderos brillantes* tiene un ritmo más rápido, dado que trata un problema contemporáneo en el contexto del Tercer Mundo, a saber, el imperialismo yanqui y la explotación económica de los recursos naturales por parte de Estados Unidos"[33]. Sin embargo, son los funcionarios nacionales los que reciben gran parte del desprecio narrativo, por su complicidad con los agresores extranjeros, que representan el imperialismo ecológico en su máxima expresión. Son vistos como testaferros que no trabajan por el bien nacional. Barragán, el presidente, es criticado por abrir el país a los intereses extranjeros en beneficio propio.

Senderos brillantes es una novela difícil por su estilo, técnica y estructura narrativa. En algunos pasajes, está escrita de manera ampulosa y, por momentos, el lector tiene que esforzarse para poder seguir lo que pasa, a quién y por qué. Aun así, el carácter alegórico de la novela es claro así como la visión antiimperialista que trasmite. Se evidencian también ciertas constantes de los trabajos de Estupiñán Bass, como la preocupación por la identidad sexual y la creación de un sentido cohesivo de nación.

El impacto de la intervención extranjera no solo se siente económicamente sino moralmente también. El narrador omnisciente sintetiza:

> La vieja moral de Calamares se resquebrajó a tal punto con la dañina
> influencia de los turistas que muchos adultos comenzaron a añorar
> los tiempos idos. Los jóvenes rehusaron la pesca y la agricultura, y el
> antiguo blasón de laboriosidad de Calamares fue opacándose.[34]

---

33   Richard L. Jackson, *Black Writers in Latin America* (Albuquerque: Univ. of New Mexico Press, 1979): 154.
34   Nelson Estupiñán Bass, *Senderos brillantes* (Quito: Casa de la Cultura Ecuatoriana, 1974): 103.

Al parecer, el turismo socavó el tejido moral de la sociedad y su voluntad económica. El resultado es una cultura de la dependencia, en deuda con la ayuda financiera extranjera y conforme a normas extranjeras que rigen las relaciones personales. El divorcio, la infidelidad, la prostitución y la promiscuidad sexual se vuelven incontrolables. La homosexualidad es una preocupación importante de la población, cuya ira aumenta ante las actividades de parejas del mismo sexo en el Club de los Dos Meses más Felices, las actividades de un prostituto, Aristóbulo Lograño (Hércules) y las actividades predadoras de Facunda Cuellar hacia las mujeres jóvenes. La identidad sexual de Facunda se aclara cuando Cirilio Castillo, padre de Zulema Castillo que fue empleada de Facunda, le implora a su hija que regrese a su casa. Él está en contra de su relación homosexual. La siguiente conversación es el resultado de una confrontación entre Cirilo, Facunda y Zulema:

—Bueno —Facunda adoptó un tono firme—, ya sabe Ud. Váyase solo, y déjenos tranquilas.

—Pero es que...

—Déjese de pendejadas, don Cirilo. ¿Quiere que le diga la verdad? ¿Se la digo, Zulema? —preguntole, tomándola entre sus brazos.

Ella aprobó, y entonces Facunda le reveló:

—Zulema era, como Ud. dijo, una doncella. Ahora es mu-jer, es mi mu-jer, ¿comprende?

—¿Su mujer? ¡Ud. está loca!

—Sí, —le confirmó Zulema— papá, ella es mi marido, yo soy su mujer. Facunda no es Facunda, Facunda ha sido hombre. Váyase tranquilo, salude a mi mamá, y dígale que no se preocupe de mí, que estoy bien. (p. 109).

La transformación de Facunda a Facundo se completa en el imaginario popular, pero es motivo de protesta para el padre. Gran parte del espacio narrativo se centra en las actividades homosexuales y transgénero que la sociedad considera anormales.

La falta de una ética del trabajo permite que la industria agrícola sea manipulada, finalmente, por intereses extranjeros. Los productores aceptan la idea de competencia del mercado libre internacional con Estados Asociados en la producción del trigo, el algodón y el maíz, en un intento por ganar un estatus favorable. Los resultados son desastrosos porque el intercambio está lejos de ser equitativo:

> Cuando los productos extranjeros eran absorbidos por el consumo nacional, algunas empresas anunciaron la compra de trigo, algodón y maíz, a precios que representaban la tercera parte de los oficiales. Los agricultores, temerosos de mayores pérdidas, se apresuraron a vender su producción. Cuando vaciaron sus bodegas, Barragán, otra vez por televisión, hizo conocer al país que, corriendo el albur de enemistarse con los Estados Asociados, sensible como era a la difícil situación de los agricultores, había rescindido el convenio, y que, por lo tanto, los industriales se abastecerían de la producción girasolana.
> Los agricultores quedaron endeudados hasta la coronilla, sus sueños se habían desvanecido, y el algodón, considerado hacía poco tiempo como la panacea, fue otra planta maldita, como el guineo (p. 245).

Barragán, el presidente, reconoce su error, pero es demasiado tarde para volver de la dependencia económica. Los agricultores y el país reconocen, tarde, que las políticas agrícolas impuestas por los Estados

Asociados son para el propio beneficio de estos y no para el de Girasol y Calamares. Los productores están agobiados por la deuda y sus productos están sujetos a los vaivenes del mercado internacional.

Hay muchos personajes que se destacan en esta narrativa de múltiples voces. Entre ellos están Jim Carrell, el Hombre triste que presuntamente tiró la bomba nuclear en Japón; Brenda Cummins, que administra el Club de los Dos Meses más Felices; Robustiano Barragán, presidente de la república, y Juan Sermón, un predicador y activista social. Genaro Granda, Pedro Angulo y Richard Wilson son tres revolucionarios cuya presencia es vital para la estructura de la novela.

Cuando los isleños resisten la invasión de sus tierras por parte de la metrópolis y los Estados Asociados, el presidente Barragán y su gobierno los consideran comunistas. La retórica inevitablemente conduce a un conflicto armado durante el cual los insurgentes, liderados por Granada, Pedro y Richard, son arrasados. La convocatoria a los "ciudadanos de Puerto Rosado y de todo el país, poetas, escritores y artistas" (p. 299) a que se unan a la lucha es vana. "En este momento el agua nos está..." (p. 300) son las palabras finales de la resistencia.

La estructura narrativa de *Senderos brillantes* es representativa de este carácter binario, como se puede observar, por ejemplo, en los registros lingüísticos de 'Cartas al autor', que reflejan la estructura de clases. Hipólito Cunalata y Marrasquín, Conde de Aguas Verdes, escribe: "Mi sangre vino de España, con su escudo que Ud. puede ver a la entrada de mi casa. Mi mujer es también de rancia estirpe castellana. Por esto, por mis ejecutorias, por mi posición social, por mi solvencia, y por mi religión católica, que es también mi blasón, seré Presidente del Girasol" (p. 11). Por su parte, Eladio Micolta escribe:

"Una *bez binieron aca onde vibimos* ahora atrás del Cerro de piedra *onde cayo* Facunda esa noche que usted cuenta una pareja de *estrangeros* a tomar fotos después de sacar sus *bistas* se *centaron* en la yerba *habrieron* un mantel y comieron y muchos los *bimos* de lejos y con ganas" (p. 25-26).

Las oraciones de Hipólito incorporan un español estándar, oficial, mientras que las palabras de Eladio son de una tradición oral y popular: el uso de *b* en lugar de v, y s por *c*, la falta de acentos y puntuación y la aspiración de la *h*. Los tonos son bastante diferentes también; la arrogancia de Hipólito en contraposición a la humildad de Eladio acentúa, de esta manera, las diferencias de clases.

La condición actual de la isla de Calamares está en disputa. El coronel Harry Douglass ofrece una visión del progreso y modernidad, mientras que Vicente Pincay presenta la perspectiva opuesta en este intercambio. Las fuerzas de la modernización tienen una concepción positiva de Calamares:

Ahora la isla está cambiada, no se parece en nada a la de antes. Calamares tiene enlatadoras, aeropuerto, muelles, escuelas, campos deportivos, mercados, hospitales, agua potable, luz eléctrica, calles pavimentadas, encontramos petróleo, los turistas vienen semanalmente por centenares y hacen circular el dinero, y pronto tendremos una moderna prisión, con todo confort, con los últimos adelantos, para albergar a todos los revoltosos y descastados del Continente; así demostraremos una vez más nuestra solidaridad para con los países atrasados, que no salen de su marasmo por la incuria de sus pobladores. Discúlpeme la paternal franqueza con que le hablo. (p. 18).

Los desposeídos ofrecen una interpretación distinta de las circunstancias:

Todo lo que nos ofrecieron los Estados Asociados resultó pura mentira. La isla la han puesto muy bonita, pero para ellos, nosotros hemos sido botados atrás de los cerros, no podemos ir a lo que antes fue nuestro pueblo. Hay alambradas con corriente eléctrica día y noche, y ay del pobre que se atreva a pasarlas. Nos han señalado una área de tres millas para pescar, y Ud. que conoce el oficio muy bien, puede imaginarse lo que se agarra en un mar tan pequeño (p. 19).

Estas visiones discrepantes de la sociedad coinciden con los efectos del imperialismo en una sociedad desprevenida. Las mejoras materiales han beneficiado a los ricos con una infraestructura actualizada orientada al turismo y a mantener a los más pobres en su lugar. Las mayorías viven en un ambiente controlado, como una cárcel y se preguntan por el costo del progreso. Estas dos miradas reflejan la naturaleza de la estructura de clases desarticuladas en la sociedad.

Desde una perspectiva literaria, el alter ego del autor, 'su otro yo', proporciona una receta para el 'éxito literario universal', que comienza con el título: "*Primera en vez de senderos brillantes pongale a su novela este título soredns setnallirb/escribiendo como vera cada palabra de atras para adelante*". (p. 28) Hay un total de ocho sugerencias que forman el núcleo de *Senderos brillantes* y sintetizan la estrategia narrativa: "Escribamos este libro entre los dos usted como lacayo del idioma use números yo sin dios ni ley gramatical usaré letras" (p. 30).

El 'yo' del autor se convierte en un 'nosotros' creativo en la escritura de *Senderos brillantes*. El resultado de esto es una novela que incorpora innovaciones técnicas a la vez que expresa un fuerte mensaje social. ¿Cuándo se abrirán los irónicos 'senderos brillantes' del progreso a las mayorías impedidas por obstáculos muy difíciles de superar?

Las puertas del verano

Las puertas del verano (1978) grafica el ascenso a la fama, la fortuna y el posterior empobrecimiento de Toribio y Nicanor Chauca, dos indígenas de origen humilde, en Cochanchai, un pueblo de la zona montañosa de la costa. Esta novela, al igual que otros trabajos metaficcionales de Estupiñán Bass de este período, tiene una estructura binaria. En paralelo al desarrollo de la trama de *Las puertas del verano,* hay segmentos 'históricos' que completan los vacíos de información sobre los personajes y los acontecimientos. La estrategia narrativa alternativa es la misma que en *Senderos brillantes.*

Las puertas del verano lleva la metaficción a un extremo al entrelazar las 'biografías' de veinticuatro personajes, en el marco de una estructura narrativa paralela. Esta yuxtaposición es complementaria y contradictoria, dado que la 'verdad' aparece junto a la 'mentira'. Dentro del aparato ficcional formal hay temas que son comunes en la ficción de Nelson Estupiñán Bass: el poder corruptor del dinero, la violencia y la brutalidad contra las mujeres, la hostilidad étnica y la identidad.

Las bases 'históricas' de *Las puertas del verano* son explicitadas en el intercambio epistolar entre Agripina Méndez Briones, Rubén Aldás Merlo y Abundio Mármol Gómez y la Académica Nacional de la Historia Privada. Los tres ciudadanos están pidiendo documentación relacionada, entre otros temas, con "la muerte de Tiberio Chauca Guasca…; y respuestas de 5 ciudadanos, obtenidas en 'la entrevista que no se siente'… sobre Gigantes, Enanos, Mujer Blanca, Hombre Negro y

Ciudad Subterránea o Submarina".[35] La respuesta de la Academia viene de parte de Gabriel Domínguez Maldonado, quien escribe:

1a) El señor Tiberio Chauca Guasca vivió sus últimos días, virtualmente asilado y en silla de ruedas, junto a su segunda esposa (Ver nuestro informe No 390/CSA/GDM) en su hacienda La Fortuna;

2a) Emerenciano juró en la puerta de la Comisaría de este Puerto, que, mediante la brujería, acabaría con Tiberio Chauca y todos sus bienes; y,

3a) En esta zona, desde el 3 de abril del pte. año, en una concesión de 10.000 hectáreas que le diera el Gobierno Trinitario, está haciendo profundas excavaciones la Berck Exploration, con la esperanza, según hemos logrado captar, de encontrar oro y uranio; de la Berck Foundation no tenemos hasta el momento ninguna noticia, ni la hemos oído nombrar (p. 12).

Estos intercambios en forma de 'documentación' aseguran el carácter metaficcional de *Las puertas del verano*, es decir, la manera en que se constituye y comunica. Méndez Briones, Aldás Merlo y Mármol Gómez están preocupados por la veracidad de los acontecimientos y los individuos retratados en el texto ficcional.

A Toribio, el centro de la novela, le interesa enriquecerse y borrar su identidad 'indígena', objetivos que resultan inseparables, dado que en su sociedad se cree que el dinero blanquea y una modificación en la vestimenta y el peinado puede cambiar la percepción social. Toribio logra el primero de sus objetivos al casarse con Hipólita Zumárraga "('Ella heredará la hacienda de don Tolomeo, yo sé cómo...') abando-

---

35   Nelson Estupiñán Bass, *Las puertas del verano* (Quito: Casa de la Cultura Ecuatoriana, 1978): 10.

nar los pesados viajes y comenzar su ascenso a la riqueza en grande". (p.74) Posteriormente, Toribio se casa con Lucía Puente Logano, una *stripper* que lo ayuda a cambiar de imagen. Luego de que Toribio se hiciera un trasplante de cabello, de negro a marrón, Lucía lo alienta a profundizar el proceso, él acepta y sigue con la piel: "Cuando fue dado de alta, del rostro, el cuello y los brazos de Toribio no quedó ni un ápice. Aquellas partes no le habían cambiado de color, pero, al verlas limpias y frescas, le pareció que en ellas había regresado a los veinte años" (p. 185). Después, los ojos: "Con ojos azules, elegantemente vestido, daba la impresión de un apuesto gentleman europeo" (p. 187). Luego vienen la sangre y el corazón: "Ya había sido advertido por un facultativo, que las molestias que sentía tenían su causa en el hecho de que su viejo corazón no estaba acondicionado para bombear la nueva sangre recibida. La operación fue realizada con éxito." (p. 189) Afortunadamente, un cambio de alma tendrá que esperar. El "ex-indio de trenzas y alpargatas" (p. 105), sin duda hizo un gran progreso. La pregunta acerca de si este cambio de imagen mejora la posición de Toribio en la sociedad sigue en pie.

Toribio amasa una inmensa fortuna con sus inflexibles prácticas comerciales y su comportamiento antiético e inmoral hacia familiares y colegas. Tiene tres hijos con Hipólita: Joaquín, que se somete a una operación de cambio de sexo; Severo, que es enviado a la cárcel por su padre por haber robado; y, la muy sufrida Consuelo, casada con Demetrio Cañizares por su herencia. La muerte de Toribio, acelerada por una plaga que infecta el rancho adquirido al casarse con Hipólita, aparentemente es el resultado de un acto de brujería. En su ascenso a la fama y la fortuna, Toribio le cortó la mano a un hombre que había intentado robar en su tienda, se negó a devolvérsela a la madre del supuesto ladrón y de ayudarlo a conseguir medicamentos. En lugar de eso, Toribio humilló a la familia y la madre del joven juró venganza. Cuando Toribio trata de encontrar los motivos de su desgracia, supone que:

> El ofuscado hombre rastreó sus recuerdos, pero no apareció, en principio, ningún culpable. Un rato después pensó en la ingratitud, los desprecios y los desplantes de Severo; en las trastadas que le jugaron Nicanor y Leonor, aunque ellos fueron los incorrectos, y él, la víctima; en Eumelia, la novia que abandonara en Cochancachi, para casarse con Hipólita; en Pablo Ciro, a quien su difunta mujer lo hiciera alejarse de Consuelo; en su venganza contra Demetrio, cuya interrumpida condena había olvidado ante el desastre; repentinamente, como una luz grande que lo encandilara en la noche, vio la mano mutilada de Rocambole, zigzagueando en el tablado, la silueta desvaída y suplicante de su madre implorándole el remedio para el tétanos y la figura desdibujada y grotesca del paralítico Emerenciano. (p. 235)

Cualquiera de estas transgresiones era suficiente para provocar la cólera divina hacia Toribio. Pero en su mente, el acto más atroz fue el cometido contra Rocambole y su madre. El documento 'histórico' sugiere que el motivo de la muerte de Toribio es Emerenciano. Toribio, sin arrepentirse, reconoce las atrocidades cometidas en el pasado en un intento por salvarse. Pero no es perdonando.

El pueblo ya juzgó a Toribio mientras también padece los efectos de la plaga:

—¡El castigo de Dios!

—¡Por lo que hizo con el hijo!

—¡Y con Rocambole!

—¡Y con doña Hipólita!

—¡Ojalá que se le acaben las haciendas!

—¡Que se quede sin nada!

—¡El agua está envenenada, no se puede tomar!

Cuando los notables se marcharon, el gentío creció. La ira popular fue más allá:

—¡Que muera el gringo falsificado!

—¡Es indio!

—¡Quién no lo conocía, vino con trenzas!

—¡Y con chancletas!

—¡Y con poncho!

—¡Era vendeportierra!

—¡Él trajo la desgracia!

—¡Hizo trato con el diablo, y ahora el diablo le va a quitar todo lo que le dio!

—¡Pero que se lo lleve a él solo!

—¡Y a la mujer también!

—¡Que nos dé agua, que haga abrir pozos!

—¡Agua!

—¡Agua! (p. 213).

En la imaginación popular no hay dudas ni del origen ni del motivo de sufrimiento. Determinados a hacer justicia por mano propia, una muchedumbre rodea la casa de Toribio. Él es reacio a irse:

"—No puedo dejar mi cuarto de plata, que está al lado. ¡Eso sí que no! Es lo único que me queda.

—¡Toribio —habló imperiosa Lucía—, tu vida vale más que todo eso!" (p. 245).

Son rescatados por Nicanor y Leonor y llevados a la Fundación Berck.

Además de las brujerías, lo fantástico y la ciencia ficción también están presentes en *Las puertas del verano*. Lo fantástico se evidencia en la naturaleza hiperbólica de las descripciones del efecto de la plaga en las personas y el ambiente:

> ...la mortandad aumentó, y el gobierno envió máquinas excavadoras para hacer hoyos y enterrar las reses que las embarcaciones no alcanzaban a arrastrar por las aguas; la fetidez, aun con el uso de mascarillas, se volvió insoportable; los gallinazos se bamboleaban por repletos, y al vaivén del viento los moscardones muertos semejaban verdes olas de mar (p. 231).

Los gallinazos y los moscardones aprovechan esta tragedia humana mientras el protagonista sufre las consecuencias de la catástrofe. Ante una serie de circunstancias para las que no hay una explicación racional, Toribio y su grupo se refugian en un mundo fantástico equipado con trampas propias de una película de ciencia ficción. Es irónico que Toribio deje atrás una cultura andina impregnada de la rica tradición oral de don Argandona, habitadas por diablos, enanos, gigantes y otras figuras, para terminar en un infierno posmoderno, una verdadera distopía.

Toribio y Lucía se encuentran en un mundo feliz creado por la Fundación Berck, donde el pasado, el presente y el futuro se funden. La Fundación traída por Leonor y Nicanor tiene una misión.

> "Los de la Fundación dicen que el hombre está degenerado por el alcohol, las drogas y el sexo, y que solo el tipo humano que

ellos han seleccionado debe poblar la Tierra después del próximo desastre" (p.261).

Su plan de repoblación está basado en la ideología nazi e implica secuestrar a las personas de arriba para el programa de reproducción selectiva de abajo.

Para Toribio y Lucía, la Fundación ha creado un mundo de fantasía real e imaginario, una utopía que contrasta con la distopía de la que ellos están huyendo. Toribio y Lucía se encuentran atrapados bajo tierra en una construcción de la Fundación, una jaula de cristal desde donde pueden observar el mundo. De este modo pueden ver la destrucción total del imperio de Toribio, así como la batalla surrealista entre gigantes y robots. Nicanor describe la Fundación como "una organización de multimillonarios que es dueña de todo esto, y de otras plantas subterráneas en algunas partes del mundo." (p. 257) En esta planta, se destacan las fotos de Adolf Hitler, ya que uno de sus objetivos es construir una raza genéticamente superior y, según Nicanor: "—Van a juntar todos los ríos de la zona en uno solo, enorme, desaparecerán muchas tierras." (p. 259) Quinientos metros debajo de la superficie, la planta es un infierno viviente para la mayoría de sus ocupantes; Nicanor y Leonor huyen del lugar y abandonan los planes. Una vez que cumplen su misión, Toribio y Lucía se reencuentran brevemente con los hijos de Toribio. Posteriormente, ambos se dejan arrastrar por la inundación apocalíptica que purifica el lugar de los restos putrefactos en las tierras de Toribio.

La historia 'oficial' dice que Toribio pasó sus últimos días en su hacienda, en lugar de morir en la inundación. Además, Emereciano, el brujo, juró públicamente que provocaría la ruina de Toribio y suscita la preocupación para este último en su intento por entender los motivos de su final. Finalmente, la Fundación de Exploración Berck busca oro y uranio y no se encuentra oficialmente vinculada con las ciudades subterráneas; esta es la dimensión fantástica de *Las puertas del verano*.

Esta estructura inicial crea una tensión dialéctica entre historia y ficción, verdad y mentira, que se mantiene a lo largo de *Las puertas del verano*. El resultado es una novela con una estructura innovadora que no pierde de vista las problemáticas sociales básicas que deben pensarse en el Ecuador de 1976. En el contexto del *boom* literario, la tendencia a reemplazar los espacios reales por otros imaginarios así como el uso de múltiples y ambiguos narradores son eficaces y constituyen un desafío para el lector.

Toque de queda

Toque de queda (1978) es una novela de dictadura, represión y resistencia que se desarrolla en un escenario ficcional, Clavel, en el marco del cual se imponen violentas restricciones que llevan a un primer plano tensiones étnicas y de clase. En lo que respecta a la técnica, *Toque de queda* es una narración continua marcada por elipsis, oraciones inconclusas, pausas, pensamientos interrumpidos y líneas argumentales truncas. El rol del lector es llenar los espacios vacíos de esta ejemplar interpretación de una sociedad disfuncional.

El toque de queda de la novela se extiende desde las siete de la tarde hasta las cinco de la mañana. En este marco temporal cronológico de diez horas, el trauma psicológico que experimentan los personajes es atemporal. *Toque de queda* deja la impresión de que lo que ocurre en Clavel trasciende la pesadilla de diez horas y, en una escala más amplia, se relaciona con dictaduras de otras partes del mundo.

Toque de queda examina el modo en que el poder corrompe y se ejerce para mantener los privilegios de algunos sectores y la miseria de otros. Los líderes militares de Clavel participan de una lucha intestina contra los negros, los estudiantes, los comunistas y cualquier otra persona que puedan tener como blanco. Hay tres cambios de liderazgo durante el período de toque de queda. El general Casiano Pantoja es derrocado por el general Ambrosio Espinoza, quien a su vez es destituido por el general Carlos Puga Veintemilla; este, finalmente, se convierte en el Jefe Supremo de la República. Hacia el final de la novela, la resistencia, liderada por comunistas, estudiantes, trabajadores y el grupo Estrella Negra, ha tomado control del arsenal y los edificios del gobierno y ha encarcelado a Puga y sus secuaces.

Los conflictos básicos de *Toque de queda* se sintetizan en el segmento que va de las siete y las ocho de la tarde, durante una conversación entre dos mujeres no identificadas:

> "//...pero ahora sí con el general Espinoza se acabarán las bullas de los
> obreros/ qué bueno mi marido iba ya a cerrar la otra fábrica a fines
> de este mes/ podremos jugar tranquilas nuestros rummy canastas sin
> ningún miedo".[36]

Esta actitud clasista y antiobrera se repite en la conversación y se extiende al grupo de resistencia Estrella Negra, a los maestros ("/y a los maestros también imagínate dizque pedir que les paguen sueldos iguales a los de los militares"/) y a otros sectores:

---

36   Nelson Estupiñán Bass, *Toque de queda* (Quito: Casa de la Cultura Ecuatoriana, 1978):
7. Citado en lo sucesivo.

/ojalá que el general espinoza elimine para siempre a los comunistas/
y a los negros también/ que los meta a presidio y los condene a trabajos forzados/ o que los destierre/ o que los mate por último para que
nos dejen vivir tranquilas no te pare.../// (p. 8).

La que le habla a Nañita (Nancy) es identificada luego como
Dorothy, la racista e inmoral esposa del general Puga. Dorothy
Thompson aspira a ser la Primera Dama de Clavel y encarna los valores sociales aprendidos en EE.UU., su país natal. Sus actitudes demuestran la brecha que existe entre la élite y los demás miembros de
la sociedad y se convertirán en una política social con el ascenso del
general Puga al poder. Dorothy funciona como un sustituto de 'El
Pensil', el poder colonial.

A pesar de que la institución militar muestra una actitud contraria
a la prensa, este medio es utilizado con frecuencia para expresar su mensaje. Cuando Pantoja es destituido, *La Tarde* informa:

//extra extra la tarde derrocado gobierno constitucional del presidente Pantoja extra extra la tarde con fotos de los sucesos de esta
mañana el general Ambrosio Espinoza nuevo presidente muertos
y heridos en fábricas estatizadas extra extra nueva ley de seguridad
del estado residencia universitaria allanada detenida esposa de ex
presidente extra extra la tarde la tar...// (p. 9).

Cada decreto que los militares emiten posteriormente, se presenta de la misma manera, ya sea por la prensa o la radio, y se convierte en una herramienta más efectiva para difundir los mensajes. El
nivel de violencia iniciado durante el gobierno de Pantoja llegará a su
mayor expresión en los breves mandatos de Espinoza y Puga.

Durante este tiempo, el diario y los escritores que tienen a cargo el artículo editorial se enfrentan a un dilema moral. Les informan que "...la nueva línea del diario es de total apoyo al general Puga" (p. 89). Uno de los escritores decide hacer lo que le parece correcto y responde que él escribe los artículos de acuerdo a lo que le dicta su conciencia. Ha condenado los golpes militares en otros países y no reproducirá la línea del partido. Renuncia.

No todos los periodistas mantienen la fuerte postura ética de este individuo. Frente a las amenazas y a la destrucción física y concreta de los medios de comunicación, una racionalización de la complicidad aparece como el mejor camino, teniendo en cuenta que dos editores son presionados por el ministro de información a publicar lo contrario de lo que está sucediendo en la ciudad. Los periodistas se comprometen a lo siguiente:

> /y qué le dijo usted colega/ que iba a pensarlo pero me amenazó con la clausura si publicaba algo de lo que ha pasado/ yo también recibí la misma advertencia/ a mí me telefoneó el mismo ministro poco antes de venir para acá en el mismo sentido/ esto significa que nuestros diarios están amenazados y que la libertad de pensamiento por lo tanto... /déjese de libertad de pensamiento colega usted sabe que eso es pura teoría para que el público la crea solamente/ (p. 94-95).

Aparentemente, la libertad de prensa solo existe en la teoría y en la imaginación popular. Sin embargo, a los fines prácticos, cuando la propia vida está en juego, los editores hacen lo que se les dice. Su razonamiento es el siguiente: "Es mejor decir que la noche pasó en completa calma, porque lo contrario sería darles alas a los comunistas y a los negros/" (p. 95). ¿Conviene ser un instrumento de la propaganda militar o de la versión comunista? Su decisión es tanto ideológica como racista.

En su esclarecedor análisis de *Toque de queda*, Miriam De-Costa Willis amplía la evaluación a otros trabajos de Estupiñán Bass y escribe:

> Los problemas tratados en sus siete novelas incluyen el sistema de ser-vidumbre, el autoritarismo, el autodesprecio racial, la contaminación, el neocolonialismo y la corrupción política; pero, en un sentido más amplio, sus novelas exploran un tema central, la lucha de las masas oprimidas, frecuentemente discriminadas tanto por su origen étnico como por la clase social a la que pertenecen, para lograr seguridad económica, estabilidad política y talla social.[37]

Hasta este punto del análisis de *Toque de queda*, los 'problemas tratados' se evidencian en las variadas formas en que se presenta la no-vela. De hecho, la mejor prueba de lucha de las masas oprimidas por lograr una estabilidad económica se observa en la conversación entre Fulton y su madre. Fulton es un niño lustrador de zapatos que quiere salir de su casa temprano, antes de que se levante el toque de queda, pero su madre lo retiene y le dice que no encontrará muchas personas preocupadas por sus zapatos ese día. La opción de Fulton es vender periódicos, frente a lo cual su madre objeta:

> "...estás muy chico quédate/ si más pequeños que yo venden perió-dicos y acuérdate mamá que debemos dos meses de arriendo y que

---

37 Miriam DeCosta Willis, "Thematic Constants and Stylistic Innovations in Nelson Estu-piñán Bass' *Toque de queda*", *Afro-Hispanic Review* (January 1985): 11

anteanoche vino doña luminaria a cobrarnos y nos amenazó con botarnos las cosas a la calle si no le pagamos hasta el sábado/ bueno Fulton/" (p. 87-88).

Fulton no tiene opción; las necesidades económicas de la familia están antes que las restricciones del toque de queda.

El racismo es un motivo no muy sutil en *Toque de queda*. Tanto los indígenas como los negros son objeto de una serie de insultos y agresiones. El general Ambrosio Espinoza Bola Bola reinstaura la Constitución de 1870 que genera buena parte del sentimiento negativo. Se aprueba un gran número de decretos entre las diez y las once de la noche, que afecta la religión, el matrimonio, la Iglesia, la unión civil y la herencia. El quinto artículo es importante para Espinoza:

"...los hijos naturales ilegítimos adulterinos o bastardos que hubiesen sido reconocidos anteriormente por sus progenitores no tendrán derecho alguno en lo relacionado con herencias o pensiones alimentarias y en lo sucesivo deberán usar duplicado su apellido materno" (p. 49).

La ironía aquí es que Espinoza, que es ilegítimo, inconscientemente firma el decreto dirigido a los hijos no reconocidos. Dorothy está eufórica con el fallecimiento de Espinoza:

"...el indio no hizo resistencia le presentaron la renuncia y firmó no más y ya oíste lo llamaron como debe llamárselo bola bola/ que vergüenza/ por bruto no leyó lo que firmó y cayó en el ridículo pero es que es bruto cobarde y canalla" (p. 59).

La esposa de Espinoza enfrenta a Dorothy y la llama 'hipócrita gringa hombrera ninfómana' (p. 65). Espinoza no solo es destituido del cargo de presidente; también pierde su identidad de padre, que establece su legitimidad como ciudadano. Por otro lado, el general Puga tiene una gran cantidad de hijos ilegítimos, pero hace cumplir las leyes. La hipocresía reina en Clavel.

La retórica contra los negros está presente en toda la novela y se relaciona con la deconstrucción de la figura de Candelaria, 'la Estrella Negra', que le da nombre al grupo de resistencia. Candelaria es una ex estrella internacional de básquetbol y obrera de una fábrica, que tuvo un hijo extramatrimonial (Eustorgio) con un hombre blanco desconocido y luego se casó con Hugo Caicedo, un comunista. Sus proezas en la cancha son legendarias:

> / que negra tan simpática era basquetbolista corría por la cancha como un venado parecía de caucho por lo elástica era de ver cómo se escurría entre las contrarias y metía canastas como nadie la viste/ solo por televisión/ era una maravilla y qué cuerpo que linda quedaba alta como era con ese pantaloncito rojo/ dicen que ahora es comunista/ que pena capiteneó dos veces la selección clavelina en el extranjero y las dos veces el cuadro trajo el campeonato sudamericano/ (p. 53).

Ser negra y comunista no es una buena combinación en Clavel. Candelaria es una heroína superatlética que ha violado la confianza nacional. Su caída en desgracia fue gradual, pero definitiva, según lo demuestran las noticias relacionadas a su captura:

> "...por fin esta repulsiva víbora humana esta depravada negra lombrosiana de atávicos instintos criminales que tiene muchas cuentas pendientes con la justicia recibirá el merecido castigo" (p. 107).

En el imaginario popular donde era considerada venado, Candelaria se transforma en víbora. Su naturaleza de reptil no se evidenciaba cuando representaba al país en la cancha de básquetbol, pero todo esto cambió cuando Candelaria comenzó a buscar justicia para los oprimidos.

Toque de queda le dedica mucho espacio al tema del lugar que ocupan los negros en la sociedad. La memoria colectiva de este grupo se encuentra repleta de incidentes racistas y discriminatorios. En una conversación entre José Pepe y Míster Sol, se hace la siguiente observación: "...te acuerdas cuando a mi hermano en la carrera de bicicletas lo descalificó a pesar de haber ganado porque dijo que un negro nunca sería campeón nacional porque qué dirían en el exte...//" (p. 15). Dado que el país está tratando de proyectar una imagen europea hacia afuera, tener un representante negro sería antinacional.

En una escena de tortura que tiene lugar entre las diez y las once de la noche, el sargento proclama: "he dicho que se callen negros de mierda". (p. 48) Luego, el capitán agrega: "deje llevar a los muchachos muertos a sus casas/...denles látigo y culata". Los militares desprecian a negros y comunistas por igual. Pero se vuelven clave para derrocar a los dirigentes: "con razón el batallón de los negros anda cantando y disparando por las afueras." (p. 117) El racismo solo exacerba algunos de los problemas en un sistema político corrupto que muestra poco o nada respeto hacia el individuo.

Toque de queda ofrece agudos análisis del funcionamiento de una dictadura militar y su impacto en el pueblo. La plétora de decretos emitidos a medianoche está destinada a debilitar las instituciones existentes e imponer un nuevo orden social. Negros, comunistas, estudiantes y trabajadores no están dispuestos a aceptar pasivamente las nuevas reglas y finalmente las cambian, como se sugiere al final de la novela.

En el ensayo mencionado, Miriam DeCosta Willis analiza la naturaleza dramática de *Toque de queda* e identifica problemas en la presentación de los personajes. DeCosta Willis afirma:

> "Dado que Estupiñán Bass no introduce ni describe a las personas directamente, el lector debe formarse una imagen de cada personaje a partir de pequeños fragmentos de información que emergen en escenas muy separadas" (p. 13).

Desde la base hasta la cima de la escala social, los personajes se construyen a partir de sus pensamientos y acciones y de las percepciones que los demás tienen de ellos. Estupiñán Bass emplea muchas de las técnicas propias de la 'nueva novela', tales como la alternancia de puntos de vista paralelos, monólogos, narrados y diálogos, los 'vasos comunicantes' de Mario Vargas Llosa. *Toque de queda* es un experimento exitoso de relaciones entre forma y contenido. Su mayor logro consiste en ofrecer una mirada de cómo un país 'en desarrollo' sigue siendo (sub)desarrollado por la opresión y la falta de respeto hacia la diversidad étnica y política.

Bajo el cielo nublado

En la síntesis que Henry Richards hace de esta novela, escribe:

> *Bajo el cielo nublado* representa una empresa artísticamente arriesgada. El autor dramatiza en ella un problema actual, las consecuencias trágicas de la contaminación en su provincia natal. Al tratar tal tema, se encara con dificultades especiales en cuanto a la cuestión de mantener la integridad artística de la obra que va a producir. En otras palabras, por la falta de distancia temporal de las circunstancias reales tratadas, el autor tiene que esforzarse por encontrar un modo de

presentación que lo proteja de la acusación de ser folletista. Al mismo tiempo, no sorprende que Estupiñán Bass, escritor comprometido con el descubrimiento y la solución de problemas socio-políticos, se sirva, para plasmar el tema principal de esta novela, de motivos ya desarrollados en sus otras novelas, a saber, la avaricia, la venalidad de funcionarios públicos, la corrupción de los dirigentes políticos, el enriquecimiento rápido por medidas deshonestas, etc.[38]

Además de las características señaladas por Richards, *Bajo el cielo nublado* (1981) es una novela que examina la destrucción del medio ambiente en Esmeraldas y, concomitantemente, la caída metonímica de los valores humanos, ante la construcción de una refinería de petróleo en la provincia. El libro se interesa por la vida privada de personas de diferentes estratos sociales y el lugar que ellas ocupan en la modernización, la industrialización y la globalización de la provincia.

Bajo el cielo nublado constituye la mejor expresión del imperialismo ecológico. Un elemento central para la evolución de esta novela son las 'voces' de los objetos inanimados que forman el 'prólogo' y el 'epílogo'. Conocidas como 'las voces que no se oyen', estas presentan la historia cultural de Esmeraldas desde la perspectiva de distintas instituciones anteriores y posteriores a la modernización, es decir, en un 'post' mundo. Entre 'las voces que no se oyen' están: 'El mar', 'La marimba', 'La escuela vieja', 'El patio', 'El río', 'La gaviota', 'El camión de don Fausto', 'El Colegio Bolívar', 'El palo bolsón', 'El caimán', 'Mi man', 'Comohacemos', 'El almendral', 'El balneario las palmas', 'El hospital', 'El éxtasis supremo', 'La calle del diablo', 'El parque central', 'El mercado', 'La quinta Jupitar', 'El sucre' y 'El cielo del río Teaone'. Gran parte de la cohesión de la novela

---

38   Henry J. Richards, *La jornada novelística de Nelson Estupiñán Bass: búsqueda de perfección* (Quito: Editorial El Conejo, 1989). 140-41.

se logra a través de las palabras y los actos de la gente que se reúne en el parque central:

> "...una central de vagos, que duermen en las bancas durante el día, y de viejos charlones —conocidos por el vulgo como PSPO— que parlotean hasta la madrugada, en ocasiones como catarnicas, pues, por su avanzada edad, ya no tienen más preocupaciones que conversar y criticar incansablemente."[39]

La novela comienza en el año 1971 con la inminente construcción de una refinería petrolera, la imagen dominante:

> Faltaba apenas una semana para la inauguración del oleoducto transandino y el puerto petrolero de Balao. La mayoría esmeraldeña era indiferente a estos próximos sucesos, que, al decir de la prensa nacional beneficiarían en todo sentido al Ecuador. (p. 65)

El pueblo de Esmeraldas se da cuenta, tempranamente, que los "beneficios" de la refinería para ellos son pocos; más bien, el pueblo es víctima de la explotación financiera y ambiental por parte de la empresa. Se trata, en esencia, de un acto de imperialismo ecológico que beneficia a los ricos.

El 'prólogo' condensa temas que serán desarrollados en la primera y la segunda parte. El conflicto del 'sucre', la moneda nacional de entonces, es clave en el desarrollo. El sucre percibe que "conmigo está hundiéndose la gente pobre" y "cada nuevo mandatario me desvaloriza más, porque mi desvalorización beneficia a los ricos..." (p 57), situa-

---

39 Nelson Estupiñán Bass, *Bajo el cielo nublado* (Quito: Casa de la Cultura Ecuatoriana, 1981):48. Citado en lo sucesivo.

ción que se refleja en su trayectoria histórica. El río Teaone supone que "los esmeraldeños no han de ser tan bobos para permitir en su tierra, siempre verde, estas instalaciones destructoras." (p. 59) Al final, las preocupaciones financieras prevalecen sobre las demás, a pesar de las advertencias de Dios, que aparece al comienzo de la primera parte, en relación a la adoración a ídolos y contra la prosperidad material, en este caso, la obsesión por el petróleo. Las advertencias supremas no son tenidas en cuenta.

Al igual que en la mayoría de los trabajos ficcionales de Estupiñán Bass, hay alusiones a la histórica experiencia de Concha. El PSPO afirma y niega la veracidad de las acciones de Carlos Concha, en un esfuerzo por deconstruir y desmitificar esta figura histórica. El narrador afirma:

> "Hasta entonces, salvando unos pocos bien entendidos, los esmeraldeños seguían creyendo que la asonada conchista había tenido por únicos objetivos vengar el alevoso asesinato del general Eloy Alfaro y sus lugartenientes y censurar y oponerse al general Leónidas Plaza Gutiérrez, uno de los implicados en tan horrendos crímenes." (p.77)

Luego de una lección de historia sobre la vida y la época de Carlos Concha, un miembro del PSPO afirma:

> Concha explotó los ideales liberales que habían calado hondo en el alma esmeraldeña, especialmente en la del montubio. Ellos sí fueron héroes, y lucharon y murieron engañados creyendo que peleaban por vengar la muerte de los Alfaro y por la restauración del liberalismo, que se estancó con la subida de la Plaza. (p. 82)

Este debate dentro del PSPO da cuenta de las diferentes opiniones en relación al impacto histórico de Carlos Concha en la región. Coinciden en que ambos disienten en el análisis de cuestiones relevantes actuales, como la represión y el asesinato de trabajadores, así como el incendio de sus propiedades por parte de los que se apropian de la tierra para la instalación de la futura refinería.

La violencia es uno de los temas principales de *Bajo el cielo nublado*. Se observa en la brutalidad horizontal ejercida entre personas del mismo grupo socioeconómico y en la proyección descendente de actos violentos perpetrados por quienes están en el poder contra los menos favorecidos. El delito es visto desde distintas perspectivas. Una mujer vieja afirma que "—Esmeraldas está perdiéndose. No era así" (p. 88), mientras Policarpa sostiene: "¡Ya no hay moral en este pueblo." (p. 89) Pero Domingo hace una observación de orden más práctico: "Nuestra gente pobre asalta y roba y asesina porque no tienen dinero, y como tienen que subsistir recurre al crimen." (p.89) El ataque del gobierno hacia los pobres es sostenido con falsas pretensiones. Un coronel informa a un grupo de trabajadores que necesitan su tierra para construir barracas que albergarán a la policía en la guerra contra el delito. Su orden es la siguiente:

"De modo que deben desocuparlos en el plazo de veinticuatro horas, porque si no lo hacen así, con mucha pena nos veremos obligados a desalojarlos por la fuerza de las armas." (p. 131)

Son obligados a trasladarse a una zona árida descripta como un 'cementerio' sin 'una gota de agua'. Este desplazamiento es el último acto de violencia subliminal de una cadena de acontecimientos construidos sobre una mentira, dado que Garzan, PSPO, más tarde revela que: "Lo que pasa es que un ministro y un general de la policía quieren adueñarse de esos terrenos, para venderlos a precios elevados." (p. 128) La refinería será la principal beneficiaria. En este caso, los derechos legales sobre la propiedad están por encima de los derechos ancestrales, en tanto las personas no pueden documentar su posesión de la tierra.

Como en la mayoría de los trabajos de Estupiñán Bass, *Bajo el cielo nublado* se caracteriza por el uso de la ironía y el sarcasmo. Estos recursos varían, según el tono que adopte la prensa popular con respecto a los acontecimientos. Un ejemplo de ello es el retiro de El Palo Bolsón, un árbol emblemático con su propia historia y narrativa. Tanto el periódico semanal *La Tribuna* como la estación de radio 'La Voz de la Patria' participan del debate en relación al destino del árbol que tiene una carga simbólica en el pueblo. "...el corpulento negro Talanquera" exclama: "—¡Viva el palo proletario! ¡Abajo los jardines y los palos burgueses!" (p. 106) El tronco de un árbol se convierte, irónicamente, en un símbolo de la lucha de clases. Finalmente, se hace una encuesta en la que los que están a favor de la vida del árbol triunfan por ochenta y cinco votos.

'Mi Man' es un episodio de bestialismo entre Amarilis, un pilar de la comunidad, y un perro callejero que esta lleva a su mansión:

"Voy a ponerle un bonito nombre, te llamaré en secreto, cuando nadie nos oiga, Mi *man* y Mi *mancito,* pero ante los demás serás Rosado". (p. 33)

El perro, que ignora las intenciones de Amarilis, finalmente comprende la situación:

"Solo después que hicimos lo que ahora hacemos con tanta frecuencia, comprendí lo que quiere decirme, al nombrarme así en sus arrebatos, entre besos, abrazos y mordiscos: mi marido y mi maridito." (p. 33)

Esta extraña relación termina desastrosamente cuando alguien secuestra el perro y pide un rescate de treinta mil sucres. Para consternación de Amarilis, aparentemente el perro, ha sido castrado y la relación termina en asesinato seguido de suicidio por envenenamiento:

"...Los cadáveres de la respetable y virtuosa matrona, la por mil títulos conspicua dama doña Amarilis Fonseca viuda de Pérez y su simpático perro llamado Rosado, encontrados esta mañana en la alcoba de la ilustre decesada" (p.147).

Una ingeniosa caricatura de la influencia gringa en el país se manifiesta en el retrato de Rock King, personaje que tras haber vivido un tiempo en Estados Unidos se vuelve ininteligible en los dos idiomas. Avaro e inmoral, Rock King se convierte en un actor destacado para la industria petrolera. Su presencia en la novela es una combinación de lo serio y lo cómico, que sostiene el carácter irónico general de la novela. Rock King aparece por primera vez en escena con algunos de sus viejos compañeros que apenas pueden reconocerlo y le preguntan:

—¿De dónde es Ud., señor?
Mí seg ecuadoguian... nativo of Esmegaldas...
—¿Cómo se llama?
Mí llamag Rock King.
Asombrada Zoila, intervino:

—¿Entonces no es Ud. el.... —iba a decirle muchacho, pero rectificó — joven Roque Quintero?

Yes, en los *iunait Esteits* mí éstuvo obligado *cambiag nombe....*no *usag long neims...* allá todo *fast... taim is mony...* nombes cogtos. *¿du iu anderstand?...* fog eso *llamagme Rock King...abebiatuga of* Roque Quintego...

—¿Y cuántos años ha estado allá? —preguntóle uno de los jóvenes.

Faiv... dego cin-co... Vean mi *pasapogte.*

Los mozos le examinaban los bien lustrados zapatos. Rock King extendió a sus viejos amigos el documento, que de las manos de Castillo pasó a las de Zoila y Raquel. (p. 103)

Rock King puede parecer un idiota para los locales, pero es, de hecho, un individuo astuto y despiadado que explota a las personas y el medio ambiente para su beneficio. Se dan cuenta que Roque Quintero no es un 'pobre pendejo', sino más bien, un maquinador que "...ayudado por su padre, el general Nicanor Quintero, Rock había obtenido del gobierno central extensas concesiones para la explotación maderera, al norte de la provincia". (p. 186) A pesar de que el contrato con sus socios de Norte América exige la reforestación, esto no se cumple y posteriormente, hay sequías, apropiación de la tierra por parte de extranjeros y desalojo forzado, situación que desencadena la violencia:

"Hubo enfrentamientos armados por los desalojos, muertos, prisiones, incendios de chozas y violaciones. La policía, enviada por el gobierno central, por la gobernadora Taramburo y por el jefe militar lograron quebrantar la resistencia de los montubios, que se vieron obligados a buscar otros lugares para vivir." (p. 186)

Al final, los oprimidos son desalojados sin la menor muestra de justicia. El mensaje de *Bajo el cielo nublado* es que cuando las fuerzas nacionales e internacionales se combinan para proteger sus intereses financieros, los derechos humanos son lo último que importa. A pesar del sofisticado artificio literario en el que se encierra y el aspecto postmoderno, *Bajo el cielo nublado* manifiesta en su seno viejos problemas sociales: para las mayorías, el cielo, ciertamente, está nublado. El tema que subyace en *Bajo el cielo nublado* es el imperialismo ecológico, un proceso que cambia la cultura de Esmeraldas con la construcción de la refinería petrolera y la explotación de la industria maderera y da como resultado el desplazamiento de los menos favorecidos. El 'progreso', representado por el petróleo, la contaminación y otras formas de destrucción del entorno natural, resulta ser una 'nube' simbólica y física en el cielo de Esmeraldas.

El crepúsculo

El crepúsculo (1992) es una de las tres novelas publicadas por Estupiñán Bass en la década de 1990. Está escrita en el modo metaficcional preferido del autor, con su usual estilo innovador. La primera parte está escrita en una estructura dialéctica compuesta por historias paralelas, dos interpretaciones de la misma realidad presentadas en dos columnas separadas en la misma página. Las voces narrativas son anónimas; queda a cargo del lector la tarea de determinar *quién* está diciendo *qué* y acerca de *quién*. La segunda parte de este texto está narrada de manera directa y seguida de un apéndice.

La columna 'A' comienza con "taré, como me pide, algunas cosas más y de la 'ciudad' de entonces". La columna 'B' dice "mismo voz a contarle todo lo relacionado con Felipa Núñez Bolaños... había casado con el gringo Robert Kent"[40]. Las narraciones se presentan como testimonios en primera persona, en particular las de Felipa, Carlos Alberto Gálvez Troncoso y su madre, doña Eulalia Troncoso Maridueña.

La naturaleza epistolar de *El crepúsculo* se estructura en torno a las respuestas que escriben los miembros de la comunidad de El Caracol a las columnas publicadas en el periódico *La Pura Verdad* en relación a temas de la comunidad, por considerar que estas columnas contienen verdaderas mentiras. Los comentarios que mandan al periódico y las refutaciones en relación a la precisión de la información que este publica forman el eje del texto. 'Juan Pablo' es el autor de los artículos escandalosos que los ciudadanos condenan como "falsos y alarmantes" (p. 47): "las tales crónicas fueron mentiras" (p. 42). Cierto tono de telenovela hace de esta una novela entretenida, mientras que la estructura de investigación policial aumenta la tensión dramática.

Gran parte del misterio de *El crepúsculo* comienza a resolverse en la segunda parte, que está narrada de manera lineal. El narrador, que se identifica como Wenceslao Torres, regresa a El Caracol, su ciudad natal, para determinar la identidad de 'Juan Pablo' y retomar contacto con viejos conocidos. Se encuentra con una ciudad deprimida, llena de violencia, hambre, desempleo, pobreza y enfermedad. Cada persona a la que Wenceslao entrevista acusa a otra de ser autora de las crónicas de *Pura Verdad*. Con un persistente trabajo detectivesco, Wenceslao descubre la verdad cuando el autor de las crónicas gana un premio literario. "Iba pensando: Ya está descubierto el enigma. Juan Pablo y Calígula son la misma persona, son Pompilio Angulo. Si aún no tienen el diario, ya verán la noticia" (p. 150).

---

40   Nelson Estupiñán Bass, *El crepúsculo* (Quito: Editora Nacional, 1992): 1. Citado en lo sucesivo.

Pompilio, cuyo pseudónimo es 'Calígua', es un candidato improbable a ganar un premio literario. Al preguntar quién del pobre Barrio Oculto ha leído los dos volúmenes de *Don Quijote,* se describe a Pompilio como uno de los que lo hizo:

> Pompilio es negro retinto, tiene veinte años, es inválido, no puede andar, se arrastra por el suelo que da pena. Dicen que es muy inteligente. Sale a la calle solamente cuando algún amigo compadecido lo lleva en una carreta a pasear por la ciudad. Se firma Angulo, porque su papá lleva el apellido de la madre. (p. 138)

El trabajo ganador de Pompilio, 'Hallazgos y misterios insólitos', es considerado por el jurado de prestigiosos escritores ecuatorianos como "...una brillante combinación de ironía y ciencia ficción" (p.150).

Esta brillante combinación de ironía y ciencia ficción se evidencia en dos de las entradas de 'Juan Pablo', en la primer parte de *El crepúsculo,* "Crónicas fidedignas: Público Tributo de Gratitud a la Araña Interoceánica" y "Crónicas Fidedignas: las Catacumbas, la Bruja y los Estruendos". 'Juan Pablo' incorpora lo fantástico y lo maravilloso en sus narraciones. En ambas entradas, hace una referencia intertextual a *Don Quijote,* al mencionar al protagonista y a Sancho Panza. A partir del folclor afroecuatoriano, Juan Pablo combina en estas dos crónicas, la fantasía y la realidad, la verdad y el engaño, forma de interacción muy atractiva para el público lector.[41]

---

41 Un análisis detallado y la conexión de Don Quijote en la novela está disponible en 'El Crimen Escritural de *El crepúsculo*' de Franklin Miranda Robles en *PALARA* 11 (Fall 2007): 10-32.

Pero *El crepúsculo* tiene otra dimensión intrahistórica muy importante. El narrador sintetiza su entorno de la siguiente manera:

> Mi ciudad, antes bulliciosa, estaba ahora sumida en la tristeza y la miseria. Me pareció que todo El Caracol era ahora un lánguido crepúsculo. Todas las horas estaban llenas de dobles. Desde temprano las casas de los pobres estaban en penumbra, unas porque habían recibido ya la visita de la muerte, otras porque estaban de angustiosa expectativa. Las calles estaban desoladas y obscuras, y de la distancia, con el viento apestado, llegaba el deprimente llanto de los deudos, pues las viruelas seguían ensanchando implacables sus círculos. Por la tarde recordaba eso como si aún lo tuviera ante mis ojos: numerosas cortinas blancas, hechas con sábanas remendadas, colgaban de las puertas, aunque los fallecidos habían sido adultos (p. 79).

La metáfora del 'crepúsculo' del título de la novela aparece contextualizada en este fragmento. Es el momento justo antes de que El Caracol, que existe bajo una nube, ingrese a la oscuridad total por la tristeza y la miseria. El sonido de las campanas y el color blanco, que simbolizan la muerte, exacerban el llanto de los familiares de las víctimas de la plaga, que esperan el implacable avance de la muerte.

Las calles 'desoladas' y 'oscuras' reflejan lo que está ocurriendo dentro de los hogares, mientras el narrador desayuna en la casa de huéspedes: "No había leche, huevos, verduras, carne, mantequilla ni frutas. Me sirvió café tinto con un pan duro y un pedazo de queso viejo" (p. 79). La mayoría de la población está atrapada entre el hambre y la viruela.

Por debajo del artificio metaficcional de *El crepúsculo* yace una realidad propia de la sociedad ecuatoriana: el clasismo y el racismo. Estas divisiones están exacerbadas por las estructuras que existen en el país desde la época colonial. Los pobres no son dueños de la tierra y están aislados en guetos golpeados por la pobreza, como El Oculto, donde exacerban la pobreza de los demás. En *El crepúsculo* los pobres son sometidos a una especie de genocidio, en tanto las vacunas están disponibles solo para los ricos, mientras que los primeros quedan indefensos ante el virus. Esto recién cambia cuando las personas negras de Barrio Oculto, El Socavón y El Pajonal se hacen cargo de su destino, enfrentan al gobierno y obligan a los que están en el poder a distribuir los medicamentos que fingieron no tener. La resistencia la dirige el Padre Portocarrero, un cura negro que ha llevado una vida hipócrita por haber tenido varios hijos con Estefanía. Portocarrero revela que, en una confesión, le dijeron dónde estaba guardada la vacuna, y por lo tanto viola un sacramento sagrado. Como reacción a la excomunión que recibe de sus superiores, Portocarrero responde:

> Si, monseñor, he violado un sacramento, pero Dios ha de perdonarme porque he querido con este delito salvar al pueblo negro. Este momento renuncio la carrera eclesiástica, que creí era para la unificación y salvación de todos, sin distinción, y tome —se despajo con lágrimas de la sotana y la arrojó por encima de la muchedumbre (p. 148).

Los valientes actos de confesión y renuncia de Portocarrero dan como resultado la vacuna que, irónicamente, estaba escondida en la oficina del Dr. Arbeláez, un candidato negro a representante provincial. Portocarrero pone en práctica la teoría eclesiástica para beneficiar a los pobres de la ciudad.

Con la visita de Wenceslao a su pueblo natal y la entrevista a viejos conocidos, la relación entre la primera y la segunda parte de la novela se hace evidente. El misterio más grande es en relación al destino de

Carlos Alberto, quien, tal como el narrador lo descubre, sigue bajo la autoritaria influencia de doña Eulalia, su madre. El principal objetivo en la vida de doña Eulalia es que su hijo encuentre una esposa merecedora de su apellido y su fortuna. Luego de relacionarse con varias mujeres, Carlos Alberto se casa con Luisa Cordovez, a quien doña Eulalia echa, literalmente, de la casa por no ser suficientemente pura. Luisa se niega a aceptar dinero o el divorcio y vive con su abogado. Carlos Alberto no es ningún santo: tiene un hijo, Ulises, con Rosario Piquigua, una de sus parejas, y reconoce al niño.

Frustrada por la situación de su hijo y las cuestiones de familia, doña Eulalia muere. Carlos Alberto recupera su voz, literal y figurativamente, y corrige los errores cometidos con sus familiares directos. En un típico estilo melodramático, los cabos sueltos de la mayoría de los hilos narrativos se resuelven, aunque en el Apéndice, el autor sugiere posibles finales para algunos episodios que quedan sin cierre y contribuye con ello a crear la estructura metaficcional de *El crepúsculo*. No obstante, la gimnasia literaria de la novela no socava su base poscolonial. La estructura social existente data de la época colonial, privilegiando a unos y negándoles oportunidades a otros. Teniendo en cuenta que la teoría poscolonial se ocupa de los efectos duraderos del colonialismo en la sociedad, la interpretación de lo que ocurre en el pueblo ficticio El Caracol adquiere un sentido nuevo cuando la novela se lee en relación a la realidad ecuatoriana.

Los canarios pintaron el aire de amarillo

Los canarios pintaron el aire de amarillo (1993) representa un cambio de temática en el recorrido de Estupiñán Bass. Esta novela es una interpretación de la cultura de la comunidad indígena cayapa/ o cayana, en el marco de su lucha por preservar las tradiciones ancestrales ante el avance de la modernidad. El texto aborda el siempre presente impacto del colonialismo en las comunidades originarias que, en nombre del progreso y por ambición, son despojadas de sus tierras, agua, riquezas y legado. *Los canarios pintaron el aire de amarillo* es, en esencia, una novela poscolonial planteada desde la perspectiva de los cayanas, con el imperialismo ecológico como eje temático.

La incursión de Estupiñán Bass en la cultura indígena se produce a través de Punta del Viento, una comunidad tradicional reticente al cambio, gobernada por el anciano Ambrosio Piguala, líder supremo. Las páginas iniciales de la novela describen las costumbres y rutinas diarias de los habitantes. En el centro del asentamiento se ubica el árbol ancestral Taita Imbaya, que también funciona como una suerte de cárcel. La comunidad se rige por leyes estrictas e implacables y tiene sus mitos de origen:

> Los cayanas consideran sagrado el canario, según su tradición, son descendientes de este pájaro. Su leyenda sostiene que los primeros seres de la creación fueron una niña y un canario que, por andar todo el tiempo juntos, cohabitaron en un árbol, y de aquel ayuntamiento nacieron sus antepasados. Los canarios son de tal modo atendidos, que parecen personas por el esmero y cariño puestos en su cuidado.[42]

Los canarios representan el carácter pacífico de este grupo étnico, que no luchará contra los invasores para defender su propia tierra. Irónicamente, los castigos para algunos de los miembros del propio grupo son tan severos como imaginables e incluyen desde golpizas hasta sui-

---

42 Nelson Estupiñán Bass, *Los canarios pintaron el aire de amarillo* (Ibarra, Ecuador: Universidad Técnica del Norte, 1993): 14. Citado en lo sucesivo.

cidios forzados. Piguala se niega a permitir que los valores del mundo exterior ingresen a Punta del Viento, para él, un refugio seguro.

Una tradición que se cumple firmemente es la división entre cayanas y negros. La enemistad entre estos dos grupos se origina en el enfrentamiento colonial y ha estado presente en las reglas de la sociedad contemporánea:

> Los cayanas mantienen odio ancestral para el hombre negro. Una borrosa tradición asegura que, recién establecidos en Punta del Viento, apareció en el poblado un grupo de cimarrones que, con disparos de arcabuces, intimidó a los habitantes. Los negros ordenaron al cacique poner en fila a todas las muchachas, y, a pesar de la protesta general, se llevaron a las cinco más atractivas, de las que jamás tuvieron noticias. Además los cayanas sufrieron los abusos de Alonso de Illescas, el africano que, por los años mil quinientos setenta, estableció un imperio de terror en la Provincia de las Esmeraldas, llamada así por los conquistadores españoles. Su rencor es tan profundo que jamás un cayana desposó a una mujer negra, ni un negro pudo casarse o amancebarse con una cayana; tampoco un cayana fue enterrado donde duermen los despojos de un descendiente de africanos. No obstante, en sus pocas diversiones utilizan los instrumentos musicales negros: la marimba, el cununo, el bombo y el guasá (p. 12-13).

Mientras que los negros ecuatorianos consideran a Alonso de Illescas un héroe mítico de la liberación, no sucede lo mismo con algunos indígenas para quienes los invasores africanos no se diferencian de los españoles. El secuestro de mujeres y otros abusos cometidos por los negros están grabados indeleblemente en la memoria ancestral de Punta del Viento.

La idea de que "...tampoco un cayana fue enterrado donde duermen los despojos de un descendiente de africanos" se repite en otros textos donde la cultura cayana y la negra colisionan. En *Juyungo* (1943), de Adalberto Ortiz, el joven Ascensión Lastre que vive por un tiempo con los cayapa pregunta si se harán cargo de él cuando muera. La respuesta es: "—No. Donde entierra cayapa, no entierra juyungo".[43] En la sección Vocabulario de provincialismos de la novela de Ortiz, 'Juyungo' se define como "voz cayapa que significa mono, hediondo, diablo, o malo, pero que los indios cayapas se la aplican al negro". Ambrosio, el joven intenta, aunque sin éxito, hacer entrar en razón a su padre acerca del carácter obsoleto de leyes y actitudes que impiden el progreso de la comunidad:

> Mantuvieron discrepancias con respecto a los negros: a la objeción del anciano, basada en el rapto de las doncellas hecho por otros negros, el Nuevo le replicó que nunca se comprobó si aquello fue verdad; además, los negros de hoy no eran culpables de lo realizado, en el caso de que fuera cierto por sus antepasados: era necesaria la unión con ellos para reconquistar las tierras robadas si no obtenían la recuperación por medio del 'Compadre Presidente', o, por lo menos, para detener a los invasores (p. 121-122).

El nuevo líder, Ambrosio el joven, reconoce que el peligro más inminente lo constituyen los extranjeros que les están robando sus tierras por vías legales y no los negros que viven en la comunidad vecina de Camerún. Timoleón Angulo, el líder de Camerún, ofreció ayuda para la defensa de Punta del Viento en varias ocasiones, pero

---

43 Adalberto Ortiz, *Juyungo: Historia de un negro, una isla y otros negros* (1943) (Barcelona: Seix Barral, 1976): 32.

esta fue rechazada. Ambrosio el anciano es firme: "El anciano trajo a la discusión la antigua sentencia cayana: 'Donde entierra juyungo, no entierra cayana', le explicó, el odio de ellos para los guayungos debería ir más allá de la muerte" (p. 122). El anciano es consistente en su enemistad hacia los negros, a pesar de que ello va en detrimento de su comunidad.

Como gobernador de Punta del Viento, Ambrosio el anciano ejerce un control casi total sobre las vidas y las actividades de los habitantes. Su desdén hacia los extranjeros se contiene parcialmente con la tolerancia a la presencia del colombiano, General Veintemilla ('Maestro Veinte'). Veintemilla es un experimentado en la cura de las frecuentes picaduras de víboras, respeta la comunidad y defiende su integridad contra los invasores.

Susana Peralta también representa el deseo de cambio en Punta del Viento. Ella es, en cierto modo, un espíritu libre, en permanente oposición a las reglas y las regulaciones de Ambrosio. Susana cree en la posibilidad de vivir la vida al máximo y no solo existir dentro de los confines de su comunidad. Se la describe como:

> Silvestre adolescencia, cuya cintura, piernas y sonrisa han circulado pro-
> fusamente en tarjetas dentro y fuera del país, sostiene que en Punta del
> Viento debe permitirse jugar básquet, fútbol y vollei, andar en bicicle-
> ta, fumar y tomar de repente algunas copas, establecer salones de baile,
> cambiar la tradicional indumentaria, y a las chicas debe dejárselas en
> libertad para escoger marido entre mestizos, negros o blancos (p. 30).

Por su amplitud mental, comportamiento impúdico y falta de respeto por la tradición, Susana recibe el tratamiento de la canasta en el árbol ancestral:

Un canasto de piquinga, que, reforzado con cuerdas de metal, permanece colgado en una rama de Taita Imbaya, a la espera de sentenciados, fue bajado, metida en él Susana y otra vez elevado. Permaneció en aquella prisión durante el sol. (p. 31)

La resistencia a la autoridad convierte a Susana en una heroína para los miembros más jóvenes de la comunidad. Posteriormente, Susana deja Punta del Viento por un tiempo, pero luego de descubrir que su cuerpo es el único bien de valor que posee, regresa a la comunidad y a su destino.

El padre Sorrento representa una parte de la resistencia cayapa, en el papel tradicional de la Iglesia católica, al tratar de mejorar las condiciones de los habitantes de Punta del Viento, Camerún y otros lugares vecinos:

Luego el padre Sorrento habló de la unidad que debe existir entre todas las razas, de la necesidad de fraternidad entre todos los pobres, de las ventajas del mestizaje, de los beneficios del deporte, y rogó que el odio cayana contra los negros terminara, para bien y adelanto de toda la región (p. 32).

En esta ocasión, Sorrento habla, aunque sin éxito, contra algunas de las creencias y prácticas básicas de Ambrosio el anciano. Sorrento es muy activo en la obtención de medicamentos contra la ceguera y la malaria y en la lucha por lograr la posesión de la tierra cayana para la comunidad. Como resultado de sus buenas acciones, el padre Sorrento es trasladado a Roma. Ni la religión ni la tradición pueden frenar la arremetida del progreso ocasionada por el dinero y el poder de la oligarquía para apropiarse de Punta del Viento.

Además de la invasión de Punta del Viento por fuerzas externas, en la comunidad hay algunas epidemias de ceguera y malaria que están fuera de control porque esta localidad no es una prioridad para la industria de servicios de salud del gobierno. Los desafíos representan un gran peso para Ambrosio Piguala el Joven, que no puede mantener el control estricto que mantenía su padre. Están atrapados entre la espada y la pared.

> Se preguntaba si podrían mantener las costumbres, salvar la mayor cantidad de tierras de Punta del Viento de modo que pudieran dar cabida a las familias que se quedaran y a todas las que volvieran; si deberían mantenerse sin contacto con otras gentes, permanecer pacíficos, o sacar las armas para defender la herencia... (p. 96).

En el final, no hacen nada porque las fuerzas del cambio y el progreso son demasiado poderosas.

En la lucha por su tierra, Ambrosio Piguala y su gente se encuentran atrapados en el clásico dilema entre los derechos ancestrales y los derechos legales. En el caso de Punta del Viento y su entorno, la gente que durante siglos ocupó la tierra y vive por fuera del sistema legal europeo es desalojada por quienes manipulan las leyes y tienen dinero y vínculos políticos. Andrés Robledo, un exiliado cubano, y Belisario Fuentes son los antagonistas de Ambrosio. Robledo:

> Había obtenido una concesión de 10.000 hectáreas en la zona de los ríos Atahualpa y Rumiñahui. Propietario de lanchas, lanchones, y carros, exportaba maderas por el puerto de Cascabel y enviaba grandes cantidades de trozas a la capital de la República (p. 87).

El otro invasor es Belisario Fuentes de la Plata, amigo de Robledo y "Gerente de dos compañías textiles, principal accionista de la Compañía Industrial del Noroccidente, propietario de tres piladoras y dos aserraderos, en tratos con inversionistas europeos para la explotación de abandonadas minas de oro en la provincia de Esmeraldas" (p. 89). Robledo y Fuentes son actores económicos y políticos formidables y plantean desafíos que Ambrosio y su gente no están preparados para combatir. Los dos invasores están convencidos de que los cayanas son "...una tribu que detiene el progreso de la zona, semejante a los pieles rojas de los Estados Unidos, que felizmente fueron extirpados" (p. 89). Los cayanas son concebidos como un grupo desechable, un obstáculo para el progreso material, bárbaros para el proceso civilizador y, como resultado de esa concepción, hay un rechazo por su cultura:

Los cayanas, si bien fue cierto que se sorprendieron con las frecuentes penetraciones, creyeron que estas se detendrían en algún sitio. La plantación de cadampulas fue quemada; la Casa de los Primeros Días, demolida y sus escombros arrojados al río. El Huerto Frutal, muestrario de todas las especies de la región, que no era ya solo un emporio vegetal, sino una especie de parque, fue cercado con alambradas eléctricas y vigilado por guardianes y perros. Las guantas, las tatabras, los saínos, los guatines, los guachicambos, los venados, las guacharacas, las pavas de monte, las piuras y las pigualas, fueron ya solamente recuerdos. Algunos pájaros, antes abundantes, se ahuyentaron también. La pesca en Cascabel se tornó escasa: los desperdicios arrojados a los ríos por las plantas industriales y arrastrados al mar, corrompieron las aguas; al fondo de los recodos y las pozas yacían grandes cantidades de peces muertos. El aire, antes con el perfume natural de los bosques, se volvió insoportable, sobre todo por las noches, cuando el penetrante mal olor cortaba el sueño (p. 114).

La indecisión de Ambrosio provoca la destrucción de Punta del Viento y la posterior expulsión de los cayanas de su tierra ancestral. La defensa armada no es una opción, ya que se aferran a la creencia del anciano, según la cual: "Cayana no asesino, no ladrón, cayana no mata por tierras..." Aparentemente los 'guayungos' de Camerún sí opusieron una feroz resistencia armada a sus invasores y mantuvieron el control sobre su territorio. Al final de *Los canarios pintaron el aire de amarillo* los restantes habitantes de Punta del Viento caminan por el río hacia un destino incierto. A la pregunta de Susana "¿A dónde vamos?", Ambrosio responde: "¡A dónde será!" (p. 137). La última imagen que Ambrosio tiene de la destrucción de su hogar son "...los canarios, sobrevolando los escombros, pintaban el aire de amarillo" (p. 137).

Esta novela no tiene un final feliz y muchos conflictos antiguos quedan sin resolver. ¿Quién es dueño de la tierra? ¿Terminará alguna vez la enemistad entre cayanas y negros? ¿Cómo las poblaciones indígenas superarán los desafíos que les presenta la sociedad moderna? *Los canarios pintaron el aire de amarillo* plantea muchas más preguntas de las que responde, al tiempo que destaca aspectos del impacto perdurable del colonialismo en las poblaciones indígenas y negras de Ecuador.

Los canarios pintaron el aire de amarillo es la última novela de Estupiñán Bass destinada a sus cincuenta años de interpretación de aspectos de la sociedad ecuatoriana. Aquí presenta su preocupación por el sufrimiento de los los cayanas, un grupo de habitantes originarios del país, frecuentemente explotados en nombre del progreso y el desarrollo y víctimas de las leyes que se modifican de acuerdo a los intereses de políticos y explotadores.

Al norte de Dios

Al norte de Dios (1994) es una parodia de la Biblia y de muchos de sus mitos. La novela es una inversión de muchas creencias comunes acerca de las personas, los lugares y los acontecimientos. Aquí Nelson Estupiñán Bass incorpora muchas de las tendencias metaficcionales empleadas, al yuxtaponer mentira y verdad, fantasía y realidad.

Al norte de Dios comienza con un breve prefacio de "su Pluma Estilográfica" que informa al lector que el autor de este texto ha desaparecido luego de un baño de noche en el Amazonas y que es su deber publicar el manuscrito que aquel había terminado antes de la desaparición.[44] Desde su comienzo, *Al norte de Dios*, en palabras de Patricia Waugh, "... de manera consistente y sistemática atrae la atención a su condición de artefacto para plantear preguntas acerca de la relación entre la ficción y la realidad" (2). La novela comienza con un epígrafe de Satán: "Dios me engendró una noche de menguante cuando entre vinos, celebró su vigésimo cumpleaños" (p. 7). En el primer capítulo, 'La pelea de las estrellas', Dios expresa su decepción con Jesús, a quien ha enviado a la tierra para mejorar la Humanidad. Ha ocurrido, más bien, lo opuesto y Dios, consciente de la percepción negativa que hay de Jesús ante su fracaso, lo culpa directamente. Dios critica a Jesús por la situación de las personas en la tierra y por generar lo peor del comportamiento humano. La ironía de la decepción que Dios expresa radica en la idea de que la religión ha sido usada para dividir más que para unir a la gente. El diálogo narrado entre Dios y Jesús condensa este debate:

---

44   Nelson Estupiñán Bass, *Al norte de Dios* (Quito: Casa de la Cultura Ecuatoriana, 1994): 10. Henry Richards publicó una traducción [al inglés], 'The Opening Chapter of Nelson Estupiñán Bass's Last Novel, *Al norte de Dios*' ['Lucifer: The Other Son of God'] en *Afro-Hispanic Review* 22, 1 (Spring 2003): 78-94. Richards posteriormente publicó una traducción [al inglés] de la novela, *The Other Son of God* (North Charleston, SC: Createspace, 2013).

El Supremo Hacedor prosiguió: Inspiraste las ocho cruzadas, bendeciste sus ejércitos y sus cruces, a sabiendas de que eran batallas innobles del fanatismo y la ignorancia. Tu egocentrismo ha envenenado a la religión. Eres culpable también de los desmanes cometidos por la inquisición, y por las atrocidades sufridas por el mundo en las dos guerras mundiales.

El Unigénito, confuso, se atrevió a preguntarle: ¿Yo? No tuve poderes para enmendar la conducta humana más allá de lo que hice. El Omnipotente continuó: El mundo me cree a favor de los ricos, la Tierra está esperando tu regreso, oíste y sigues oyendo los clamores en todos los idiomas, pero nunca demostraste deseos de volver. Esta fue la réplica cristiana: Lo sé, pero Ud. no me ha dado orden de volver. En el afán de escrutar aún más el pensamiento del enviado y de pesar su decisión, Dios prosiguió la conversación. (p. 10)

Dios amonesta a Jesús por sus fracasos en la tierra, que han dado como resultado una falta de credibilidad en el Todopoderoso entre sus seguidores. En vez de permitirle a Jesús que regrese a la Tierra para corregir algunos de sus errores, Dios lo condena a un año en la cárcel de su hermano: "Llévalo a la celda 13131313 de Satanás. Jesús sollozó" (p. 11). Luego, Dios llama a Lucifer: "...negro fornido en mangas de camisa, con botas a la rodilla y un puñal cuya luminosidad rebotó en el ambiente" (p. 12). El Diablo, Lucifer, Belcebú, Mefistófeles, Satán, se muestra desafiante ante Dios porque muchos de los males del mundo le han sido atribuidos y ha sido condenado a vivir en 'el fuego' con la 'podredumbre del mundo'.

En contraste con Jesús, Satán está en una posición favorable en las negociaciones para su misión en la tierra. El diálogo se desarrolla de la siguiente manera:

Quiero que empecemos a componer la Tierra, ya que Jesús no pudo corregirla. Te daré poderes, los que imaginas y los que no imaginas, y volverás después de un año para rendirme cuentas, y ver entonces si te encomiendo continuar la tarea. ¿Aceptas? Belcebú, con voz en la que confluyeron su audacia y su jactancia, le contestó: Acepto, pero si me da poderes ilimitados. Dios, sosegado, aceptó. El Diablo le inquirió: ¿Y la Biblia? El Topoderoso, con voz oscilante entre la adustez y la sonrisa, le respondió: Escribe, o haz escribir, un nuevo Génesis, acorde con el tiempo que vivimos, basado en la ciencia, eliminándole las alegorías que muchos que se creen entendidos toman al pie de la letra. Si acepto tu Génesis te ordenaré escribir, o hacer escribir, una nueva Biblia, quitándole las historietas que conserva la que actualmente se difunde (p. 13).

Satán accede a un amplio rango de poderes y a la posibilidad de re-escribir y modernizar las escrituras, comenzando con el Génesis. Una vez que se satisfacen sus condiciones y se establece un plazo, el 14 de febrero de 1991, Mefistófeles, acompañado por una ex abadesa (Sor Etelvina), se embarca en la misión de corregir algunos de los males cometidos por Jesús. En el camino, el Diablo recluta a varios discípulos para que lo ayuden a llevar adelante su plan. Cada miembro del séquito narra sus acciones en una serie de 'Adangelios'. El primero se cuenta desde la perspectiva de Sor Etelvina, que anuncia los temas centrales que se desarrollarán a lo largo de la novela: la relación entre Jesús y María Magdalena, la genealogía del Diablo, el funcionamiento interno del Infierno y las estatuas de figuras bíblicas polémicas, entre otros. ¿El esperanto se efectivizaría como lengua universal? ¿María Magdalena era una prostituta? ¿Dios estaba avergonzado del color de piel de su hijo? Todas estas son problemáticas planteadas en la narrativa de Sor Etevelina.

La palabra 'Adangelio' es una inversión de 'evangelio', en la que prevalece la perspectiva de Satán, en lugar de la de Jesús. El evangelio del primero se elabora a lo largo de la novela, durante la cual la doctrina en la tierra se convierte en 'Adangelical', en lugar de evangelical. Por consiguiente, los protagonistas bíblicos conocidos por sus actos infames tienen la oportunidad de presentar su versión de los hechos. Sor Etelvina ve a algunos de los más destacados cuando pasa por la Avenida de las estatuas:

> Una tarde, al caminar hacia un río que parecía lago, a ambos lados del sendero vi un conjunto de relucientes estatuas, que giraban unas a la derecha y otras a la izquierda. Vi la estatua de Salomé con una serpiente en la cintura; la de Jezabel, con las manos en el rostro, como tratando de ocultar su infamia; la de Caín, con un puñal en la diestra; la de David, cabizbajo, con las manos en el corazón; la de Judas, con un bolso colgante de la cintura; la de Jonás, con un trasmallo y su boca reventada en una carcajada; las de Sansón y Dalila, abrazados; la de Abel, de bruces (p. 30).

Posteriormente, cada una de estas icónicas figuras cobran vida para narrar sus historias, las cuales se convierten en un componente fundamental de *Al norte de Dios*. Lucifer tiene un total de ocho discípulos que viajan con él: sus 'Adangelios' funcionan como capítulos de la novela en su intento por enmendar algunos de los errores cometidos por Jesús en la tierra del 'Equinoccio', a medida que recorren la Tierra con forma de humanos.

El abuso de las drogas, la violencia contra las mujeres, la prostitución, el medio ambiente, la pobreza, la Iglesia católica, la homosexualidad y el complejo industrial militar son temas tratados en los Adangelios, a medida que Lucifer trata de resolver algunos de los problemas más apremiantes del mundo. Hay alusiones apenas veladas a las guerrillas de Molumbia, al dictador Pantochet y a otras problemáticas mundiales concretas. Cuando Lucifer cuestiona a un exportador español de mariscos por el deterioro del ecosistema ante la destrucción del medio ambiente, este le responde: "Debe saber que eso de la ecología es cosa que no nos interesa, nosotros no somos equinocciales, lo importante es aumentar nuestro patrimonio" (p. 63). Una vez más, el dinero triunfa sobre el medio ambiente. La explotación de petróleo es otra preocupación del Diablo:

> Nos habló después de la contaminación que produce el petróleo y sus derivados en el agua, el aire, la tierra y las personas. Explicó también que el peso de la tierra disminuye con las extracciones de crudo, que afectarán, a la larga, más que una guerra con superbombas (p. 67).

Su solución para la extracción de más energía del mar nunca se implementó y la advertencia acerca de los aspectos negativos del petróleo es ignorada.

La misión de Lucifer de restaurar el equilibrio moral del país no coincide con muchas de las ideas de la Iglesia.

> La víspera de la llegada del sumo sacerdote el Diablo nos convocó a una reunión en su cuarto del hotel. Nos dijo, con enumeración detallada de reyes y naciones que, desde sus comienzos, la Iglesia había sido aliada de los ricos y beneficiaria de los poderes monárquicos; mientras, inculcó a los pobres la resignación, el trabajo y la obediencia a cambio de una vida feliz en el otro mundo. Los que ahora continuaban llamándose representantes de Dios, salvo pocas excepciones, proseguían la misma productiva rutina; los que difundían la verda-

dera doctrina eran pocos, algunos habían caído con las armas en las manos por defender la libertad y la justicia (p. 92).

El Diablo cuestiona el histórico papel de la iglesia católica, en particular sus alianzas con los ricos y poderosos frente a los pobres. Ridiculiza la idea de que si los pobres sufren en la Tierra, serán compensados en el Cielo. Lucifer se conduce como un teólogo de la liberación. Después de su sermón, el Diablo le pregunta al arzobispo por qué no vende algunas de las joyas de la iglesia para ayudar a quienes están agobiados por la pobreza. Mónica Torres se pregunta por qué la Iglesia nos ordena "crecer y multiplicarnos" cuando el mundo está sobrepoblado. Las respuestas a ambas preguntas coinciden con el discurso oficial de la iglesia. El arzobispo deja en claro que a él no le preocupan las cuestiones relacionadas a la religión o la filosofía, sino, más bien, las problemáticas locales y que él no pretende cambiar la doctrina de la Iglesia.

Satán logra efectuar algunos ajustes menores mediante la fe y los milagros, pero, en gran medida, cambia muy poco durante su estadía en Equinoccio. Lo ven como un 'negro atrevido' cuyo impacto es mínimo; después de todo, es el hijo de Jesús y de una mujer africana, Kalunga Carabolí. Se encuentra con múltiples versiones contrarias de distintas creencias: el casamiento de Jesús con Jane Mansfield; la razón por la que Caín mató a Abel: "Lo maté porque lo vi dos veces forcejando con mi madre por violarla" (p. 120). La estatua de Abel luego verifica esta versión de los hechos. Todos los episodios que involucran a las estatuas son inversiones de las 'verdades' bíblicas. Tal como le explica Caín a Temístocles, "La Biblia calla muchas cosas, ¿no lo sabes?" (p. 120).

Insatisfecho ante el estado de cosas y su incapacidad para cambiarlas, Satán propone un nuevo Génesis basado en observaciones y experiencias concretas. Descubre, irónicamente, que Dios no está preparado para una reestructuración radical del *status quo* ni para nada que cuestione Su autoridad.

> Luzbel le presentó el nuevo Génesis, pero el Supremo Hacedor le dijo: Lo conozco de sobra, devuélveselo a tus súbditos, diles que la religión no es ciencia, es alma, es fe, es emanación sublime del espíritu. Satán le recordó: Tú me recomendaste escribirlo, o hacerlo escribir. El Todopoderoso añadió: Sí, has cumplido mi encargo, pero respóndeme, ¿puedo aceptar la blasfemia de que Adán y Eva, llamados allí Nada y Ave, me inventaron? ¿Has reflexionado en semejante absurdo? Tú sabes muy bien, yo hice todo lo que existe, se conmovió la mesa al golpe de sus puños. Satán aceptó: Yo reconozco que tú eres el Supremo Creador, rechazado este, ¿hago escribir otro Génesis? ¡No!, cerró Dios el tema con golpes más vigorosos.
> —Nuestro padre tiene razón, dejemos la Biblia como está, será mejor no tocarla, peor reemplazarla—murmuro Jesús (p. 160).

El nuevo Génesis cuestiona el origen del Todopoderoso y su rol como creador del Universo. La religión no debe estar sujeta al cuestionamiento científico; debe ser aceptada fielmente. Las propuestas de Luzbel son rechazadas y al final, el *status quo* sigue vigente. Ningún argumento acerca del actual estado de las cosas, desde el ataque de Bush a Cuba hasta una cuarta guerra mundial, logra cambiar nada. De hecho, el Todopoderoso prevé la posibilidad de otra guerra mundial que destruya a la humanidad. Este hecho le permitirá desarrollar una nueva especie. La idea que Nelson Estupiñán Bass expresa en *Al norte de Dios* es que el mundo, tal como lo conocemos, no puede recibir ayuda alguna. En esta última novela publicada por el autor, sus frustraciones con la condición humana son llevadas a un contexto místico. Incapaz de encontrar respuestas a preguntas existenciales, el autor recurre a una inversión de los mitos bíblicos. Al presentar a Satán, en lugar de Jesús, como protagonista en este contexto bíblico, Estupiñán Bass utiliza la parodia para cuestionar muchas de las dudas y suposiciones que tienen muchos creyentes y no creyentes. *Al norte de Dios* plantea que el Bien y el Mal quizás tengan más similitudes que diferencias.

Desde la búsqueda de la justicia social proyectada en *Cuando los guayacanes florecían* al análisis de algunas de las principales paradojas del cristianismo en *Al norte de Dios,* Nelson Estupiñán Bass presenta interpretaciones innovadoras y profundas de la experiencia humana. Sus novelas abarcan a Ecuador es sus complejidades culturales: la guerra, la etnicidad, el colonialismo, el racismo y la corrupción en un intento por definir la esencia de lo que significa ser ecuatoriano. Al mismo tiempo, Estupiñán Bass aborda problemáticas globales como el cambio climático, el imperialismo ecológico, la religión, los derechos de comunidades indígenas y, sobre todo, el rol del escritor y de la literatura en la sociedad.

La cita inicial de Donald L. Shaw en relación a la forma y el contenido de las novelas contemporáneas es aplicable a muchos de los trabajos de Estupiñán Bass, a pesar de que no se lo reconoce en el mismo contexto de los llamados escritores del *boom*. El abandono de la estructura lineal, la subversión de las secuencias temporales cronológicas, la creación de espacios imaginarios y la perspectiva múltiple en la narrativa son índices de la madurez de Estupiñán Bass como escritor. A pesar que de muchas de sus temáticas tratan la especificidad ecuatoriana, Estupiñán es capaz de trascender lo local y lo nacional y ofrecer una perspectiva sobre las aspiraciones y el comportamiento humano transnacionalmente.

En conclusión, Nelson Estupiñán Bass adhiere a la mayoría de los principios descriptos en *Reflexiones sobre la novela,* en sus propias creaciones ficcionales. Puede combinar interpretaciones culturalistas de la sociedad con las últimas innovaciones técnicas. Las ideas socialistas de Estupiñán se desarrollan a la par de técnicas de la 'nueva novela', como la metaficción, 'lo real maravilloso', lo fantástico y otros dispositivos que son constantes en sus trabajos. Estas novelas ciertamente le proporcionan al lector un punto de vista experto de la historia y la sociedad ecuatoriana, que realza nuestra comprensión de este país y su gente.

Capítulo IV: Prosa no ficcional

demás de poesías, novelas, teatro y cuentos, Estupiñán Bass publicó prosa no ficcional que pertenece, en su mayor parte, al género ensayo. En el sentido más amplio del término, un ensayo es "una composición literaria breve sobre un tema u objeto particular, generalmente en prosa y de carácter analítico, especulativo o interpretativo".[45] Debido al carácter abarcador de sus escritos, los ensayos de Estupiñán Bass son representativos de todas estas categorías. 'Viaje alrededor de la poesía negra' y 'Reflexiones sobre la novela', discutidos anteriormente, son los principales ensayos del autor así como los más analíticos.

Antonio Sacoto ha escrito: "El ensayo ecuatoriano como el resto del continente, es un continuo ir por los vericuetos de la historia, de la cultura, de la literatura, del 'ser nacional', es decir, 'de la identidad del ser ecuatoriano".[46] Esta afirmación describe, acertadamente, el contenido de *Luces que titilan* (1977), *Vargas Torres en la prosa y la poesía* (1987), *Desde un balcón volado* (1992) y *Las constelaciones* (2000). *Luces que titilan y Desde un balcón volado* son una aproximación a la sociedad ecuatoriana, como lo describe Sacoto. Contienen narraciones cortas, viñetas, contribuciones a la crítica literaria, comentarios sobre personalidades históricas y otros aspectos culturales. Son ensayos breves que Estupiñán Bass elaboró a partir de su experiencia como escritor y observador de la conducta humana. *Este largo camino* (1994) está compuesto por recuerdos del autor y relatos de su historia de vida que abarcan desde su infancia hasta la recepción del Premio Eugenio Espe-

---

45   http://www.thefreedictionary.com/essay
46   Antonio Sacoto, *El ensayo ecuatoriano* (Cuenca, Ecuador: Universidad del Azuay, 1992): 1.

jo, cumbre de su trayectoria literaria. Desde una perspectiva literaria, *Viaje alrededor de la poesía negra* (1982) y *Reflexiones sobre la novela* (2002) son ensayos que, como hemos visto, expresan la concepción del autor sobre la poesía y la novela.

Luces que titilan

Luces que titilan consta de biografías de ecuatorianos ilustres y descripciones de lugares y hechos destacados. Gran parte de las personas, los lugares y los nombres que aparecen en este libro pueblan las novelas y la poesía de Estupiñán Bass, quien destaca que los hombres son "...varones que, por la perspicacia de sus concepciones, o su apasionamiento en las acciones, configuran la estructura mental de las colectividades".[47]

Estupiñán Bass presta especial atención a tres personas que fueron piezas fundamentales en la definición de la trayectoria cultural de Esmeraldas: "el coronel Luis Vargas Torres (liberal, la espada y la pluma rebeldes), el comandante Roberto Luis Cervantes (socialista, espada civil siempre a la cabeza del pueblo esperanzado), y el periodista Gustavo Becerra Ortiz (comunista juramentado, periodista con la pluma en una mano y el revólver en la otra" (1), de los cuales el primero es el más heroico de los tres.

Luces que titilan describe a personalidades reconocidas a nivel nacional, así como a gente común y corriente. Un intelectual, como don Ramón Chiriboga "...uno de los precursores de las ideas socialistas en Esmeraldas" (33), es considerado, junto con Kid Lombardo, como "...nombre que flameará como una de las más rutilantes banderas del boxeo ecuatoriano" (39). Carlos Concha, una de las figuras heroicas

---

47   Nelson Estupiñán Bass, *Luces que titilan* (1977) (Quito: Producción Gráfica, 2000): 1. Citado en lo sucesivo.

de Estupiñán Bass, también recibe un tratamiento especial en "la poesía popular en la revuelta conchista", un poema con comentarios. Este texto presenta el contexto humano y geográfico de Ecuador, particularmente de Esmeraldas. En este sentido, los comentarios de Sacoto en relación al propósito de los ensayos ecuatorianos son apropiados, ya que en *Luces que titilan* hay un intento de colocar en primer plano las personalidades que construyeron la identidad ecuatoriana.

La tercera sección de este libro se titula 'Opiniones sobre la literatura de Nelson Estupiñán Bass'; en ella se resumen las opiniones críticas a los trabajos del autor en todos los géneros abordados desde 1945 hasta 2000, vertidas por críticos a nivel nacional e internacional, como Joaquín Gallegos Lara, Franklin y Leonardo Barriga López, Alba Luz Mora, Stanley Cyrus, Henry Richards y Richard Jackson, entre otros.

Vargas Torres en la prosa y la poesía

Este texto está compuesto por "...veinte y dos plumas, cada una a su manera, en una confluencia de ecuatorianidad, narran y cantan la epopeya del coronel Luis Vargas Torres, fusilado en Cuenca el año 1887 por la reacción ultramontana, en una época que, antes que un forzoso tramo histórico, nos parece hoy un capítulo desglosado de la leyenda".[48] Este libro comienza con el testimonio de Luis Vargas Torres expresado en 'Al borde de mi tumba' y termina con el poema 'Reencuentro con Vargas Torres', de Félix Yépez Pazos.

El libro está dividido en las secciones 'Vargas Torres en la prosa' y 'Vargas Torres en la poesía' y cuenta con contribuciones de distinguidos intelectuales ecuatorianos. La sección 'Al borde de mi tumba' merece especial consideración como articulador de las

---

48 Nelson Estupiñán Bass, *Vargas Torres en la prosa y la poesía* (Quito: Editorial Ecuador, 1987): 12-13. Citado en lo sucesivo.

ideas de Vargas Torres sobre Ecuador, la política y la inminencia de la muerte. Hasta el final, mantiene su postura como mártir heroico que se sacrificó por causas liberales. Habiéndosele negado la conmutación de su sentencia de muerte, el último deseo de Vargas Torres es: "¡Quiera Dios que el calor de mi sangre que se derramará en el patíbulo, enardezca el corazón de los buenos ciudadanos y salven a nuestro pueblo!" (21).

La selección de poemas y trabajos en prosa relatan la trayectoria de Vargas Torres desde su nacimiento hasta su muerte. Su carácter simbólico es excelentemente captado por Euler Granda de la siguiente manera:

Luis Vargas Torres,
guerrillero, hortelano
acérrimo enemigo de la noche
y la injusticia,
con su propio pellejo,
hasta tocar el cielo
hizo crecer el árbol de la libertad (130).

La imagen que transmite Granda es la de un luchador que sembró las semillas de la libertad y quedó grabado en el imaginario popular de manera indisoluble y para siempre. Estupiñán Bass incluye uno de sus conocidos poemas, 'Ante la tumba de Luis Vargas Torres', pero no hay en esta selección miradas opuestas de Vargas Torres, dado que el propósito es elevarlo a una escala mítica. La predilección de Estupiñán Bass por la figura heroica y de mártir de Vargas Torres es constante a lo largo de su producción literaria.

Las constelaciones

Esta publicación es una continuación de *Luces que titilan* en el sentido que destaca muchos de los logros de la familia, los amigos y colegas de Estupiñán Bass. Se trata de esbozos breves, de varias páginas cada uno, que se concentran en los principales logros de esas personas.

Las constelaciones está dividido en tres secciones: 'Las siete cabrillas', 'Sagitario' y 'La osa mayor'. Educadores, políticos y activistas sociales pueblan gran parte del libro. De las 'Siete cabrillas', el Dr. Franklin Tello Mercado fue el que tuvo mayores logros: fue Ministro de Educación, de Seguridad Social y Salud y de Seguridad Social y como funcionario de la Organización Mundial de la Salud:

> ...envió una brigada de médicos escandinavos que aplicó la vacuna antituberculosis H.C.G. a un millón de niños ecuatorianos; así mismo obtuvo que el Servicio Cooperativo Interamericano efectuara en Esmeraldas una prolongada campaña para erradicar la buba o pian y el paludismo.[49]

Tello Mercado fue fundamental en el desarrollo de medicamentos para el tratamiento y la prevención de la tuberculosis. Además, representó a Ecuador en las Naciones Unidas y es reconocido como el "orgullo máximo de la esmeraldeñidad" (12).

Otro médico que compartió la misma tradición de servicio con Tello Mercado fue Segundo Salas Meza, cuyos orígenes le permitieron sentir empatía por los pobres:

---

49   Nelson Estupiñán Bass, *Las constelaciones* (Esmeraldas: Consejo Provincial de Esmeraldas, 2000): 11. Citado en lo sucesivo.

Ya médico, en Esmeraldas, no cobraba el valor de sus consultas a los pobres, a quienes obsequiaba las muestras que le regalaban los visitantes a médicos, y si no las tenía, les daba dinero para que las adquirieran (14).

Como resultado de su profesionalismo y generosidad, Salas Meza fue elegido diputado para representar Esmeraldas a nivel nacional. Esta persona junto a muchas de las otras 'Constelaciones' de este homenaje participan de los avances sociales, la educación y la política.

De las 'Siete cabrillas', el Dr. Alejandro Drouet tuvo la carrera internacional más impresionante. Educado en Ecuador, Colombia y California, ejerció como profesor en Esmeraldas, Ministro de Seguridad Social y Gobierno, asesor ecuatoriano en San Francisco, California, y embajador en Guatemala. A nivel nacional, Drouet ejerció importantes cargos en el poder judicial, la diplomacia y la cultura. Era considerado uno de los 'más brillantes luceros' de Esmeraldas.

La mayoría de las personas nombradas en esta sección ejemplifican algunas de las mismas tendencias en relación a su compromiso con Esmeraldas y su pueblo. Por ejemplo: Drouet Calderón (educador), Arcelio Ramírez Castrillón (escritor y maestro), Efraín Andrade Viteri (maestro en artes plásticas afroecuatorianas) y Tácito Ortiz Variola (músico) cuya "óptima producción fue el 'Himno a Esmeraldas', conocido y cantado por grandes y pequeños de nuestra provincia, dentro y fuera de ella..." (26). Con el reconocimiento de estas personas y sus logros, Estupiñán Bass hecha luz sobre aspectos de la historia nacional que podrían haber sido pasados por alto u olvidados.

'Sagitario' contiene breves bocetos biográficos de once personas que representan una variedad de profesiones, entre ellas, militares, periodistas, políticos, activistas de la familia, comerciantes, amigos, educadores y empleados públicos. Tres de las selecciones, 'Coronel Carlos Concha Torres', 'Franklin Gustavo Estupiñán Chiriboga' y 'Nahúm Cortés Arroyo', parecen haber sido escritas con más pasión que las otras.

Estupiñán Bass exalta las virtudes de Carlos Concha en muchas de sus publicaciones y lo mismo ocurre en *Las constelaciones,* donde comenta que "El Levantamiento de Concha es Gloria para Esmeraldas, la única provincia que respondió varonil a los escarnios de 1912" (31). Además, se incluyen fragmentos del 'Manifiesto' de Concha que explica la necesidad de un cambio revolucionario que no tiene lugar.

'Franklin Gustavo Estupiñán Chiriboga' está escrito en memoria del hijo del autor, que si bien no está presente físicamente, se encuentra muy vivo en la memoria familiar. Por consiguiente, la selección es una afirmación de las buenas acciones y los valores del hijo y una negación de su muerte: "Hijo mío, tú no has muerto, solo estás durmiendo, así te veo y considero, solamente dormido" (39).

Nahúm Cortés Arroyo, elogiado por sus esfuerzos en educar a los jóvenes de Esmeraldas, es caracterizado como un "Negro consciente de su identidad, comprendió que la superación negra se logra principalmente por medio del estudio" (50). Cortés representa un modelo que la mayoría de las personas que figuran en esta sección parecen haber seguido. La educación era su vía de ascenso social y reconocimiento, una actitud internalizada por muchos en Esmeraldas.

'La osa mayor', la tercera sección de *Las constelaciones,* contiene once retratos que van de serios a humorísticos. Por ejemplo, 'Las campanadas africanas' se ocupa de la presencia africana inicial en el actual Ecuador; relata desde la llegada de los primeros grupos, documentada en 1533, hasta el nombramiento de Alonso de Illescas como gobernador de la provincia de Esmeraldas en 1577. 'La campanada criolla' aborda la liberación de Esmeraldas del control español de la siguiente manera: "El golpe contra la dominación española, en lo que es hoy la costa ecuatoriana, se produce en la noche del 5 de agosto de 1820, en Ríoverde" (61). Esto ocurrió 165 días antes de que Guayaquil declarara su independencia. Los primeros dos retratos enfatizan la naturaleza rebelde de las personas de Esmeraldas en cuanto al origen y el destino de la provincia.

Del otro lado del espectro está 'Fútbol con candela' en el que se relata un partido de fútbol que tuvo lugar en el año 1920 a la luz de las velas, entre el equipo de 'los de Arriba' y 'los de Abajo'. Como no hay electricidad, juegan con una pelota encendida en llamas y casi incendian el pueblo. El narrador, capitán de 'los de Abajo', cuenta la historia con humor y exageración.

Las otras personas destacadas en esta sección son escritores, políticos y abogados. Los escritores son: José Ortiz Urriola, que no ha recibido el reconocimiento merecido; Edgar García Pérez, cofundador del periódico *Hélice,* que "forjó los nuevos escritores esmeraldeños" (66) y Nelson Ortiz Stefanuto, que al igual que Estupiñán Bass, fue contador y poeta elogiado por su *Escenario de Esmeraldas,* "...libro que todo esmeraldeño debe leer por la lección de geografía que es" (68).

Entre los políticos ejemplares están Benito Quintero, uno de los fundadores del Partido Comunista de Esmeraldas, Jaime Hurtado González, co fundador del Movimiento Popular Democrático y, principalmente, Carlos Enrique Díaz Castrillón, "el esmeraldeño que más incidió en la vida política y administrativa de la provincia" (77). Sus logros como gobernador de la provincia son descritos con gran detalle.

Juan Antonio Checa Drouet y Escolástico Solís fueron destacados maestros y músicos. Particularmente, este último: "Escolástico, el primer marimbero esmeraldeño invitado a tocar el repertorio negro en Quito y Guayaquil, abrió el camino a otros maestros y a los conjuntos de músicos y bailarines" (72). De acuerdo con la observación inicial de Antonio Sacoto, *Las constelaciones,* al igual que muchos otros ensayos "es un continuo ir por los vericuetos de la historia, de la cultura, de la literatura del 'ser nacional'".

Desde un balcón volado

Desde un balcón volado es una colección de ensayos cortos que permite conocer la vida y la obra del autor a través de un discurso en el que Ecuador ocupa un lugar central. El contenido del libro está resumido en la tapa:

> Temas como el de las tareas del escritor, los recuerdos del mar, las vicisitudes, las cosas del vivir cotidiano, los comunes asuntos de la patria o aspectos de la complacencia estética son tratados en este libro con la prosa elegante del autor de novelas y poesías de gran mérito.[50]

Desde un balcón volado es similar a *Luces que titilan* en el tratamiento del contexto ecuatoriano, pero se observa un signo de madurez artística en el primero donde el contenido está mucho más pulido y desarrollado. La literatura y el proceso creativo son el eje principal de *Desde un balcón volado* y entre las selecciones dedicadas a estos temas están: 'El escritor y su producto', 'Detrás de las palabras', 'El realismo

---

50   Nelson Estupiñán Bass, *Desde un balcón volado* (Quito: Banco Central del Ecuador, 1992): Editors. Citado en lo sucesivo.

fantástico', 'Acuarela de una palabra', 'La onomatopeya negra', 'El sentimentalismo romántico en la poesía negra', 'Literatura y manducatoria' y 'El brazo izquierdo de la cultura'.

Estos ensayos breves proporcionan ideas valiosas acerca de cómo Estupiñán Bass concibe la literatura y al proceso creativo. En 'El escritor y su producto', una especie de 'arte poética', el autor sostiene: "Escribir es levantar un escalón para la patria, añadir un eslabón a la interminable búsqueda de la esquiva Belleza" (21). Por encima y más allá de la calidad estética de su trabajo, Estupìñán Bass se ve a sí mismo como un escritor comprometido cuyos escritos interpretan la sociedad en la que vive y hace una declaración valiente:

> Todos los escritores, cualquiera sea el rango, edad, ideología o nacionalidad, somos y estamos comprometidos, pues todos profesamos, en mayor o menor grado, una tendencia política (21-22).

Esta actitud sintetiza la trayectoria literaria de Nelson Estupiñán Bass, tal como se refleja desde sus primeros poemas hasta sus más recientes novelas. El papel del escritor es usar la palabra escrita para promover valores que resalten la dignidad, la amistad y la paz sin comprometer al artefacto literario.

'Detrás de las palabras' continúa este diálogo con el proceso creativo de un modo poético, al entender que: "La gramática es una fotografía en blanco y negro, un paciente expedienteo de la superficie o material de las palabras; la literatura, una permanente conversación con el alma de ellas" (31). El proceso dialéctico entre las palabras, la gramática y la literatura son la esencia del proceso de escritura. Aquí su interdependencia es humanizada y enfatizada de tal manera que el escritor se convierte en un "sofisticado brujo, que cotidianamente convoca el espíritu de los vocablos para nuevos horóscopos". (31). Dadas las herramientas, es el escritor brujo el que debe tejerlas en textos significativos e interpretativos. Estos ensayos cortos constituyen las declaraciones más explícitas de Estupiñán Bass en relación a sus ideas sobre el proceso creativo.

La preocupación del autor por las tendencias literarias del momento se evidencia en 'El Realismo Fantástico' y 'La onomatopeya negra'. Los orígenes de Realismo Fantástico se encuentran en los "brumosos albaceas de la humanidad" (39) y se convierten en diferentes mitologías, como la Biblia y *Las mil y una noches,* por mencionar algunas fuentes obvias. Estupiñán Bass categoriza el Realismo Fantástico como "la imaginación al servicio de la literatura y la ciencia". (39), una definición similar al fantástico de Todorov y a lo real maravilloso de Alejo Carpentier. Para sostener sus afirmaciones, Estupiñán Bass cita ejemplos de la Biblia y hasta de *Historia Natural del Reino de Quito* de Juan de Velasco, la que, afirma, es la primera novela de realismo fantástico escrita en América (40).

'La onomatopeya negra' comienza con una declaración audaz: "Errónea y generalmente se ha aceptado que la Poesía Negra es la expresión onomatopéyica del espíritu negro." (63). El autor sostiene que las jitanjáforas y los juegos de palabras son verbalizaciones superficiales de las tendencias de la literatura negra y no representan interpretaciones profundas de la cultura. Algunos ejemplos tomados de poemas de Nicolás Guillén y Luis Palés Matos respaldan los argumentos de Estupiñán Bass contra la idea que el "churriguerismo lírico deviene ramplonería ridícula, un poco pintoresca sí, pero en ocasiones burda ingenuidad" (63-64). Esta 'poesía negrista, de negrismos' se opone a la 'poesía de la negritud' escrita por autores serios que intentan interpretar la cultura de los negros.

África es el tema de 'Donde empieza el infierno', 'Viñetas negras' y 'Esclavismo'. 'Donde empieza el infierno' comienza con una descripción del continente africano, su flora y fauna, y llega a la conclusión que, para occidente, "África parece un milagro de la maravillosa lámpara de Aladino" (49). El 'infierno' africano comenzó y continúa por la intervención extranjera y la ambición tanto en tiempos antiguos como modernos. Las riquezas humanas y materiales de ese continente son explotadas al máximo por extranjeros desde una concepción racista y de superioridad tecnológica. Sudáfrica y su *apartheid* son vistos por Estupiñán Bass como ejemplos claros del colonialismo europeo y la explotación mediante estructuras económicas, sociales y políticas represivas. No hay solución, dado que los africanos sostienen algunas de las mismas prácticas de los invasores y colonizadores y algunas partes del continente siguen siendo 'un infierno'.

'Viñetas negras' evalúa el impacto del comercio de prisioneros africanos entre 1518, año en que llegó el primer envío a América, y 1837, año en que se registra el último envío, aunque Estupiñán Bass reconoce que estas son fechas 'oficiales' que no tienen en cuenta lo ocurrido ni antes ni después de ellas. Lo importante de este ensayo es la descripción de cómo los mismos africanos participaron en la compra y la venta de su gente y el reconocimiento de la diversidad cultural y étnica de los cargamentos. La llegada del primer cargamento a Esmeraldas en el año 1553 y el cimarronaje cultural ocupan varios párrafos.

La resistencia de los prisioneros convertidos en esclavos es un aspecto importante de estas 'viñetas' que transmiten la experiencia deshumanizante de la esclavitud y la afirmación del espíritu humano:

El trato, inhumano en casi todas las plantaciones, hizo que los esclavos, obligados a trabajar hasta dieciocho horas diarias, encontraran medios para escapar del suplicio. Muchos, desconcertados y extenuados por el trabajo se suicidaron. Otros, a pesar de los castigos establecidos, que llegaron hasta la castración y la muerte, fugaron hasta lugares impenetrables, donde, con el abono de sucesivas evasiones, construyeron comunidades libres, denominados quilombos (136).

'Quilombo' es el nombre de las comunidades que los esclavos fugitivos formaban en Brasil y que tienen sus equivalentes en Esmeraldas en Ecuador, El Chocó y el Palenque de San Basilio en Colombia, Barlovento en Venezuela, entre otros. Allí, el cimarronaje cultural fue y es practicado por los negros en un intento de afirmar sus tradiciones y resistir a la deshumanización en sociedades hostiles.

La crítica más poderosa de Estupiñán Bass a la esclavitud se encuentra en 'Aparente defunción del esclavismo', donde el autor denuncia las prácticas de Francia, Inglaterra, Holanda, España y Portugal, "nombres malditos, que infundían terror al Continente Negro" (145). Los africanos aparecen como víctimas que padecen "la degradación por el color y el amargo proceso de la deculturación, inherente a todo sistema colonial". (145) Con el tiempo, los negros buscaron formas de resistencia a esta humillación y encontraron algunas activas y otras pasivas:

La primera, mediante el ataque frontal a mayorales, administradores y propietarios, que ocasionó muchas muertes, con la retaliación inmediata y consiguiente; la segunda, con los recursos del suicidio, la destrucción de los instrumentos de labor, el daño a los animales de labranza, el trabajo saboteado y el cimarronaje (145).

En lugar de presentarlos como meras víctimas del encarcelamiento, la esclavitud y la explotación por parte de un sistema colonial, Estupiñán Bass invierte el paradigma a favor de la resistencia colectiva e individual mediante la violencia, el sabotaje y la huida. En su argumento resalta el proceso de cimarronaje físico y cultural junto con el precio que se pagaba por las huidas frustradas.

Con la abolición de la esclavitud, los hacendados recurrieron a medidas extremas para mantener su sistema de privilegio y explotación. Las mujeres negras constituían un aspecto central de dichas medidas, en tanto eran importadas para que tuvieran hijos y, de esa manera, se pudiera mantener la mano de obra, práctica que era combatida con vehemencia por las mujeres:

> Pero los vientres negros practicaron lo que podría considerarse un cimarronaje sexual. Las esclavas negras usaron algunos anticonceptivos, entre ellos, uno de los más utilizados, el preparado a base de papaya y hojas de la misma planta (146).

Estos métodos provocaban problemas vaginales que impedían los embarazos y los nacimientos y, por lo tanto, estropeaban las nefastas intenciones de los hacendados. Es la primera vez que veo el término 'cimarronaje sexual' en literatura. En estos ensayos, Estupiñán Bass examina críticamente el contexto de la diáspora africana, desde el momento del secuestro de personas y el posterior cruce forzado del Atlántico hasta la experiencia de la esclavitud y el cimarronaje en el continente americano. El análisis crítico de la experiencia de los negros trasciende Ecuador y aborda la diáspora africana en el continente americano.

En el terreno de la política, Estupiñán Bass ofrece un amplio y profundo análisis en 'Democracia y miedo', donde analiza el origen del concepto de democracia, sus contradicciones y su impacto en el comportamiento humano. Los aspectos positivos son presentados de la siguiente manera:

> La democracia es justicia, libertad de cultos, de educación, de pensamiento, de trabajo; es tolerancia, honradez, sinceridad, sujeción de grandes y chicos a las leyes; es alternabilidad, igualdad de oportunidades en la ocupación social (90).

Estas son algunas de las cualidades positivas e ideales de la democracia, tal como las entiende Estupiñán Bass. En sus escritos el autor exalta frecuentemente las virtudes de la democracia y critica minuciosamente el capitalismo, su contraparte. Señala además que la democracia es un proceso dialéctico con muchas contradicciones y sugiere, correctamente, que el proceso democrático se define mejor en el marco de la cultura de la cual emerge.

Una aproximación polémica al arte ecuatoriano se presenta en 'Hojas sobre el arte'. Aquí Estupiñán Bass le implora a la gente que acepte la producción artística nacional y que la defienda. Para él, "Todo artista ecuatoriano es voz y reflejo, pensamiento y palabra, pincel y cincel, esquince y nota de algún sector de nuestra patria" (113). Ratifica el valor de la producción nacional a la vez que advierte contra influencias perturbadoras y afirma: "Defender nuestro arte es, en definitiva, defender nuestra alma de los males epidémicos de dentro y fuera de casa" (114). Se alienta a artistas y consumidores de las bellas artes, primero, a buscar el valor propio y la inspiración y ser cautelosos en la adopción de influencias externas.

La violencia ha sido durante mucho tiempo una preocupación de Nelson Estupiñán Bass y sus actitudes hacia ese fenómeno se expresan en *Desde un balcón volado*. 'Claves de la violencia' articula algunas de las causas primarias y consecuencias, en particular tres:

> El alcoholismo, del tabaquismo, y las otras drogadicciones apuntan, en los desvíos de la juventud, más allá de los límites aparentes. Las tres epidemias, que en primera instancia empujan al deterioro físico, llevan, convertida la víctima en guiñapo, al homosexualismo, al lesbianismo y a la prostitución (162)

Para el autor, el alcohol, el tabaco y las drogas son meras puertas hacia comportamientos antisociales más serios. Esta es una visión del siglo XX sobre la sexualidad y los fenómenos biológicos y sociales que cambiaron sustancialmente en muchas sociedades. Entre otros fenómenos generadores de violencia están las pandillas, el ostensible consumismo, la música alienante y una sociedad indiferente al sufrimiento de sus ciudadanos. Es interesante que el autor no sugiera soluciones para estos males sociales.

En 'La debacle de El Guayabo' se detalla un episodio histórico de violencia, ocurrido durante la rebelión encabezada por Concha en Esmeraldas entre los años 1913 y 1916; el resultado de dicho episodio fueron "las trágicas secuelas de la postración económica de la zona y desarraigadas enemistades de por vida entre familias" (151). El Guayabo, en las riberas del río Esmeraldas, es donde se produce un enfrentamiento entre las fuerzas de Concha y sus rivales. Fue una lucha intestina provocada por una falsa ideología y por falsas promesas. Un oficial conchista cuenta: "Eso no fue un combate, fue una machetiza del diablo, ya me dolían de cortar tantas cabezas" (152). 'La debacle de El Guayabo' muestra hasta qué punto sectores pobres e ignorantes son manipulados para lograr metas imprecisas que muchas veces no existen.

'Las naves de la muerte' trata los resultados de la debacle de Guayabo, tras la cual se cargan tres barcos para deshacerse de los muertos: "Dura fue la tarea de arrojar al agua los 600 y más cadáveres de los oficiales y los soldados masacrados en El Guayabo" (155). Esta violencia sin sentido impacta negativamente en todo el continente; setenta y cinco años después, aún quedan preguntas sin responder en relación al porqué. ¿Se debió a la falta de educación, el racismo ancestral, la venganza política por el asesinato de Eloy Alfaro, la animosidad hacia los montañeses o se debió al retraso de la provincia de Esmeraldas? No hay respuestas, pero este episodio histórico aporta a la crítica general que hace el autor de una sociedad proclive a la violencia por razones históricas o individuales.

Desde un balcón volado es importante en la trayectoria de Estupiñán Bass porque coloca muchos de los temas presentes en sus otros trabajos creativos en una perspectiva más amplia y abunda sobre ellos. Esta colección de ensayos, junto con *Luces que titilan, Vargas Torres en la prosa y la poesía* y *Las constelaciones,* es emblemática respecto a lo que Sacoto define como "la identidad del ser ecuatoriano".

Este largo camino

Dividido en tres partes, de 1912 a 1936, de 1937 a 1961 y de 1962 a1987, *Este largo camino* es un resumen autobiográfico de Nelson Estupiñán Bass, que registra gran parte de la ilustre trayectoria personal y profesional del escritor. El texto comienza con 'Mi padre' y cierra con 'El premio Eugenio Espejo', mayor galardón que el escritor recibió, en septiembre de 1993.

La primera parte de la autobiografía está dedicada a su infancia, su familia y sus apreciaciones juveniles sobre la sociedad y el proceso de maduración, con eje en los fenómenos humanos y naturales peculiares de la región de Esmeraldas, especialmente de Súa: "Allí, en la tierra firme, en este arrabal del abandono, nací el 20 de septiembre de 1912".[51] El autor describe una infancia durante la cual solían faltar bienes materiales, pero no los valores humanos frente al río Esmeraldas. La educación, los viajes a las principales ciudades, la política y la discriminación son componentes de su formación y el comienzo de su carrera como escritor en 1930:

> A mediados de junio apareció mi primer artículo en el semanario esmeraldeño *El correo*, en mi columna titulada 'A través de los Andes', suscrita por Juan del Mar. Empecé escribiendo sobre sucesos políticos, en contra del régimen (52).

Este hecho dio origen a la larga trayectoria de Estupiñán Bass como disidente político, postura que constituye un componente integral de sus creaciones literarias. Además, el autor nos informa hacia el final de esta narración, en la sección 'La sangre en el papel', que es Esmeraldas el lugar donde se desarrollaron sus habilidades creativas:

> Esmeraldas es la fuente primaria de mi obra literaria, el lugar de origen de todo lo que escribo. Ella me dio la materia prima que he transformado a mi manera, tratando de flamear siempre aquella sustancia singular. Su geografía, su historia, sus leyendas, sus mitos, el caudal de sus ríos, el fuego palpitante en la tierra y las gentes, la selva verde y pujante, el mar con sus guitarras diurnas y nocturnas, la música afroecuatoriana, los anhelos libertarios, todo aquel

---

51   Nelson Estupiñán Bass, *Este largo camino* (Quito: Banco Central del Ecuador, 1994): 22. Citado en lo sucesivo.

torrente vitalizador lo he asimilado y lo he volcado, por la pluma,

a las cuartillas (221).

Hubiera sido conveniente que esta afirmación estuviera al comienzo del volumen, dado que sintetiza su contenido. Siguiendo el modelo de esbozos breves utilizado en *Desde un balcón volado,* Estupiñán Bass se concentra en individuos, incidentes y lugares, desde los más triviales hasta los más importantes, que han sido piezas clave de su desarrollo como escritor.

Las narraciones del autor en relación a su trayectoria literaria son centrales en *Este largo camino.* 'Nace mi primera novela' relata la génesis y el desarrollo de *Cuando los guayacanes florecían,* que el autor terminó de escribir en 1943, pero publicó en 1954. La carrera poética de Estupiñán Bass también comenzó a florecer durante fines de los años cuarenta y comienzos de los años cincuenta, con la publicación de *Canto negro por la luz* (1954) y *Timarán y Cuabú* (1956). Estos éxitos posiblemente se deban a su vinculación con la Casa de la Cultura Ecuatoriana de Esmeraldas y el Grupo Cultural Hélice, organizaciones que colaboraron en la publicación, distribución y promoción de sus trabajos.

Las secciones 'La poesía popular' y 'Mitología criolla' dan una idea valiosa de cómo el autor incorpora la cultura folclórica a la literatura. La poesía popular fue inspirada "por los versos de copleros y decimistas analfabetos y anónimos, asentados en las profundidades de las montañas, y en la otra por la transfusión inyectada por inmigrantes colombianas" (110). Estupiñán Bass recoge esta tradición oral y compila e incorpora los poemas de poetas analfabetos y anónimos a su primer libro de poesía popular, *Timarán y Cuabú.*

La mitología criolla fue fuente de algunas de las ficciones más imaginativas del autor. En su juventud, un carpintero del vecindario le enseñó acerca de personajes sobrenaturales como La Tunda, El Hojarasguín del Monte, La Mula, La Gualgura, El Buque Fantasma, Ánimas en Pena, El Diablo, El Bambero, El Duende y El Riviel. Estos personajes que se usan sobre todo para asustar a los niños, son constantes en la cultura oral y literaria de Esmeraldas y otras regiones de Ecuador. Junto con Estupiñán Bass, Juan García, Adalberto Ortiz, Antonio Preciado y otros artistas los usaron a modo de inspiración creativa.

El paraíso fue interpretado como un ataque al liberalismo (urraquismo/zorroismo), aunque en realidad es una crítica al caciquismo o la dominación ejercida por hombres fuertes. Tácito Ortiz Urriola tildó a Estupiñán Bass de irresponsable y miserable y lo comparó con una víbora y el cáncer. El autor temió por su vida porque, aparentemente, un grupo de asesinos había sido enviado a eliminarlo. En este caso, la literatura es fuego.

Durante este período, Estupiñán Bass se configuró a sí mismo como una figura literaria internacional. En el año 1960, junto a otros intelectuales ecuatorianos, visitó China y la Unión Soviética como embajador cultural. Un mes de estancia en China les permitió viajar y observar aspectos de una sociedad que les era ajena. A Estupiñán Bass le impresionaron los beneficios de una sociedad comunista, en especial, las prestaciones de salud desde el nacimiento hasta la vejez y la educción; también le impactaron el ambiente laboral, las artes y la industria editorial. En su evaluación general, el autor observa:

> Dicen algunos que China es un país ininteligible, misterioso, pero a mí me pareció todo lo contrario, abierto a la contemplación, deseoso de ser conocido a fondo, que muestra sin máscara la grandeza de su historia, la fe en su laboriosidad y su diagramación del porvenir (140).

En su breve visita patrocinada de un mes, Estupiñán Bass entra en contacto con una cultura considerada exótica y distante, pero al encontrarse inmerso en ella, descubre que ciertas cualidades humanas trascienden las diferencias culturales.

La estancia de Estupiñán Bass en Moscú fue breve, del 28 al 31 de diciembre de 1960, pero la visita a la Plaza Roja resulta una circunstancia emocionante:

> Estar en la Plaza Roja es oír el latido de un corazón universal, el corazón de la UR.SS., repartido en la Tierra y sin embargo íntegro y palpitante allí (143).

La Plaza Roja simboliza el centro ceremonial del universo soviético y representa su poderío militar, así como su progreso histórico e ideológico encarnado en las imágenes de Lenin y Stalin. La experiencia en la Unión Soviética no fue tan reveladora como la de China, debido a la duración de la visita. Durante este viaje al extranjero, Estupiñán Bass no pudo viajar a Cuba como estaba planeado, de manera que volvió a su rutina como contador.

La tercera parte, de 1962 a 1987, registra la trayectoria del autor desde su regreso del extranjero hasta que recibe el Premio Eugenio Espejo en 1993. En este lapso, se publicaron muchos de sus principales trabajos, aunque no sin polémica. *El último río* (1966) en particular fue criticado por la manera en que aborda el racismo en Ecuador. *Las huellas digitales* (1971) y *Las tres carabelas* (1973) también aparecieron durante este período.

Fue durante la década de 1970 cuando el autor estableció fuertes lazos con Estados Unidos a través de la relación con Stanley Cyrus, el grupo de la Universidad de Howard y el surgimiento de los estudios sobre la literatura afrohispánica encabezados por Richard Jackson. En 'Mi amigo Stanley Cyrus', Estupiñán Bass escribe: "Stanley Cyrus, natural de Granada, catedrático de la Universidad de Howard, Washington, D.C., fue el primer escritor norteamericano con quien establecí relaciones de amistad" (178).

Debido a esta relación, Estupiñán Bass se convirtió en uno de los escritores afrohispánicos más reconocidos y aclamados. Su obra fue tema de conferencias, presentaciones, ensayos publicados en revistas, reseñas, cursos universitarios y traducciones. Cyrus incluyó el cuento 'El milagro' en su antología *El cuento negrista sudamericano* (1973) y supervisó la traducción al inglés de *El último río/Pastrana's Last River* realizada por Ian I. Smart. *Senderos Brillantes* fue publicado en 1974 con una valoración positiva de Henry Richards, quien se convirtió en el mejor crítico de Estupiñán Bass. La relación que tuvieron, que duró hasta que Estupiñán Bass falleciera en Pensilvania en el año 2002, está detallada en 'Más allá de amigo, un hermano' (201-2). Fue Richards quien afirmó que se conoce más a Estupiñán Bass en Estados Unidos que en Ecuador.

Este largo camino detalla las experiencias del autor con Henry Richards y otros colegas en Estados Unidos, principalmente en Buffalo, Washington y Chicago. Estupiñán Bass comenta sobre sus presentaciones en conferencias, traducciones y reacciones críticas a sus trabajos, así como la importancia de Estados Unidos en su carrera literaria. Este reconocimiento coincide con lo que el autor denomina 'Mi período más fecundo' durante el cual publicó *Las puertas del verano, Toque de queda, Bajo el cielo nublado, Las dos caras de la palabra* y *Duelo de gigantes* y terminó los manuscritos de *El crepúsculo* y *Los canarios pintaron el aire de amarillo.*

Este largo camino contiene muchas de las opiniones del autor en relación al matrimonio, la religión, la poesía y Esmeraldas.

Cuenta que "Por un conflicto con mi primera mujer, nos divorciamos en 1948. En 1950 nació Gladys Amanda Estupiñán Narváez, mi hija extramatrimonial" (101). Luego se casó con Luz Argentina Chiriboga en 1962, con quien tuvo dos hijos, Franklin Gustavo y Lincoln Patricio, y estuvieron juntos hasta su muerte.

En 'Mis creencias' Estupiñán Bass enumera lo que cree y lo que no cree en relación con Dios, la humanidad y el universo. Señala:

> No creo en el Dios que está descrito en la bibliografía religiosa, que, en mucho o algo, lo ha desfigurado. Creo que una energía suprema, hasta hoy desconocida, o no comprobada plenamente, es la que, a través de millones de siglos, ha formado el universo, el hombre, su hábitat, todo lo que existe fuera y dentro del ser humano y encima y debajo de la tierra también (123).

Cree que no estamos solos, que hay otros mundos deshabitados y que los humanos, finalmente, se destruirán a sí mismos y destruirán el planeta. Para el autor, Dios es esa energía secreta y misteriosa, padre y madre de todo, que se originó en la inescrutabilidad del tiempo y el espacio y desafía el conocimiento humano.

En 'Mi opinión sobre la poesía', el autor describe la poesía como "(...) la elevación (...) de los sentimientos por medio del lenguaje" (183). Más adelante elabora una definición más extensa:

> La poesía, arte de poner vida, sol y altura a los sentimientos, de revitalizarlos por medio de esta modalidad tan antigua y pueril, y simultáneamente adolescente y majestuosa, que es el lenguaje, tiene un ritmo interior, una estructura sonora de metales, de río, de huracán y humanidad, que afloran desde eslabones intrínsecos, pues el poeta,

hermano también del músico, sabe cómo deben pesarse los sonidos. Por esta cualidad se identifica también al verdadero poeta, prueba por la que prueba los quilates de su lírica (184).

Este largo camino contiene una definición del arte poético de varias páginas de extensión, en la cual el autor analiza la relación entre contenido y forma, los valores estéticos y sociales que trasmite. Con referencia a la Eclesiastés, afirma que "no hay nada nuevo bajo el sol" y sostiene que la poesía es, después de todo, un producto cultural.

Para Nelson Estupiñán Bass, Esmeraldas fue la fuente creativa que le trasmitió su literatura con "el aliento de rebeldía que bulle en mi provincia". Llega a la conclusión de que "Esmeraldas es, pues, el manantial donde mi pluma se llenó de sangre, que después se volvió palabra en el papel" (222). Esmeraldas como centro le permitió a Estupiñán Bass producir un legado literario extraordinario y duradero. Este género no ficcional en prosa es una muestra de las temáticas abordadas por el autor y de su visión cultural. La intertextualidad une la poesía, la novela, el teatro y los trabajos no ficcionales en un todo coherente. Desde sus primeros poemas hasta su última novela, Estupiñán Bass es consistente en su interés por Ecuador y su gente, así como por la condición humana en general.

Bibliografía seleccionada

Antología de cuentos esmeraldeños. Esmeraldas: Casa de la Cultura Ecuatoriana, 2013.

Ashcroft, Bill, et al. *The Empire Writes Back: Theory and Practice in Post-Colonial Literatures* (1989), 2nd ed. New York: Routledge, 2002.

--------------. *Post-Colonial Studies: The Key Concepts*. New York: Routledge, 2000.

Becker, Marc. *Indigenous and Afro-Ecuadorians facing the Twenty-First Century*. Newcastle-upon-Tyne: Cambridge Scholarly Publishing, 2013.

Chávez, Alfredo. *Antología de cuentos esmeraldeños*. Esmeraldas: Casa de la Cultura Ecuatoriana, 2013.

Chiriboga, Luz Argentina. *Diáspora por los caminos de Esmeraldas*. Quito: Ardilla Editores, 1997.

Cyrus, Stanley, ed. *El cuento negrista sudamericano*. Quito: Casa de la Cultura Ecuatoriana, 1973.

--------------. "Rage and Hope in the Works of Nelson Estupiñán Bass." *Afro-Hispanic Review* 2,3 (1983): 13-18.

DeCosta Willis, Miriam. "Thematic Constants and Stylistic Innovations in Nelson Estupiñán Bass' *Toque de queda*. *Afro-Hispanic Review* (January 1985): 11-14.

Dorfman, Ariel. *Imaginación y violencia en América*. Santiago de Chile: Editorial Universitaria, 1970.

Handelsman, Michael. *Lo afro y la plurinacionalidad: el caso ecuatoriano visto desde su literatura*. University of Mississippi: Romance Monographs, 1999.

--------------. *Género, raza y nación en la literatura ecuatoriana: hacia una lectura decolonial*.

Barcelona: Centro de Estudios y Cooperación para América Latina, 2011.

Jackson, Richard L. *Black Writers in Latin America*. Albuquerque: University of New Mexico Press, 1979.

--------------. *Black Writers and the Hispanic Canon*. New York: Twayne, 1994.

Minda Batallas, Pablo Aníbal. *Identidad y conflicto: la lucha por la tierra en la zona de la Provincia de Esmeraldas.* Quito: Universidad Técnica Salesiana, 2002.

Miranda Robles, Franklin. *Hacia una narrativa afroecuatoriana: cimarronaje cultural en América Latina.* Quito: Casa de la Cultura Ecuatoriana, 2005.

--------------. "El crimen escritural de *El crepúsculo.*" *PALABRA* 11 (Fall 2007):10-32.

--------------. "Mirada afrodescendiente de la heterogeneidad indígena en *Los canarios pintaron el aire de amarillo* de Nelson Estupiñán Bass." *Revista de crítica literaria latinoamericana*, 33, 65 (2007):1799-2003.

N'gom Faye, Mbare. "Raza y proyecto nacional en *Cuando los guayacanes florecían* de Nelson Estupiñán Bass." *Revista Iberoamericana* 65, 88 (1999):671-79.

Ortega, Julio. "Para una tipología de la violencia," *Eco* (febrero 1981):21-25.

Ortiz, Adalberto. *Juyungo: historia de un negro, una isla y otros negros* (1943). Barcelona: Seix Barral, 1976.

Rahier, Jean Muteba. *Blackness in the Andes: Ethnographic Vignettes of Cultural Politics in the Time of Multi-Culturalism.* New York: Palgrave Macmillan, 2014.

Richards, Henry J. Traducción. *Cuando los guayacanes florecían/When the Guayacanes were in Bloom.* Washington, DC: Afro-Hispanic Institute, 1987.

--------------. *La jornada novelística de Nelson Estupiñán Bass: búsqueda de la perfección.* Quito: Editorial El Conejo, 1989.

--------------. Traducción. *Toque de queda/Curfew.* Washington, DC: Afro-Hispanic Institute, 1992.

--------------. *El brillante camino de Nelson Estupiñán Bass: búsqueda de la perfección.* Quito: NP, 2003.

--------------. Traducción. *Al norte de Dios/The Other Son of God.* North Charleston, South Carolina: Createscape, 2013.

Sacoto, Antonio. *El ensayo ecuatoriano.* Cuenca: Universidad del Azuay, 1992.

Santa Cruz, Nicomedes. *La décima en el Perú.* Lima: Instituto de Estudios Peruanos, 1982.

Shaw, Donald L. *La nueva narrativa hispanoamericana* (1981), 2nd ed. Madrid: Catedra, 1999.

Silva, Erika. *Feminidad y masculinidad en la cultura afroecuatoriana: el caso del norte de Esmeraldas*. Quito: Abya-Yala, 2010.

Smart, Ian I. Trans. *El último río/Pastrana's Last River*. Washington, DC: Afro-Hispanic Institute, 1993.

Tresidder, Jack. *The Complete Dictionary of Symbols* (1995) San Francisco: Chronicle Books, 2004.

Waugh, Patricia. *Metafiction: The Theory and Practice of Self-Conscious Fiction*. New York: Methuen, 1984.

Zendron, Claudio. *Cultura negra y espiritualidad: el caso de Esmeraldas, Ecuador*. Quito: Centro Cultural Afro-Ecuatoriano, 1997.

Trabajos de Nelson Estupiñán Bass

Estupiñán Bass, Nelson. *Cuando los guayacanes florecían*. Quito: Casa de la Cultura Ecuatoriana, 1954; Quito: Editorial Libresa, 1996; *When the Guayacanes were in Bloom*, traducción de Henry J. Richards. Washington, DC: Afro-Hispanic Institute, 1987.

--------------. *Canto negro por la luz: poemas para negros y blancos*. Quito: Editorial Rumiñahui, 1954.

--------------. *Timarán y Cuabú: cuaderno de poesía para el pueblo*. Quito: Casa de la Cultura Ecuatoriana, 1956.

--------------. *El Paraíso*. Quito: Casa de la Cultura Ecuatoriana, 1958.

--------------. *El último rio*. Quito: Casa de la Cultura Ecuatoriana, 1966; Quito: Editorial Libresa, 1992; *Pastrana's Last River*, traducción de Ian I. Smart. Washington, DC: Afro-Hispanic Institute, 1993.

--------------. *Las huellas digitales*. Quito: Casa de la Cultura Ecuatoriana, 1971.

--------------. *Las tres carabelas: poesía, relato y teatro*. Portoviejo: Editorial Gregorio, 1973.

--------------. *Senderos brillantes*. Quito: Editorial Casa de la Cultura Ecuatoriana, 1974.

--------------. *Luces que titilan: guía de la vieja Esmeraldas*. Esmeraldas: Editorial Casa de la Cultural Ecuatoriana, 1977.

--------------. *Las puertas del verano*. Quito: Editorial Casa de la Cultura Ecuatoriana, 1978.

--------------. *Toque de queda*. Guayaquil: Editorial Casa de la Cultura Ecuatoriana, 1978; *Curfew*, Traducción de Henry J. Richards. Washington, DC: Afro-Hispanic Institute, 1992.

--------------. *El desempate: cuaderno de poesía para el pueblo (continuación de Timarán y Cuabú)*. Portoviejo: Editorial Gregorio, 1980; Quito: Artes Gráficas Señal, 1986.

--------------. *Bajo el cielo nublado*. Quito: Casa de la Cultura Ecuatoriana, 1981; Quito: Editorial Andina, 1982.

--------------. *Las dos caras de la palabra: prosa y poesía*. Quito: Editora Andina, 1982.

--------------. *Duelo de gigantes*. Esmeraldas: Banco Central del Ecuador, 1986; Quito: Nueva

Editorial de la Casa de la Cultura Ecuatoriana Benjamín Carrión, 1998.

--------------. *Las constelaciones*. Esmeraldas: Consejo Provincial de Esmeraldas, 2000.

--------------. *Vargas Torres en la poesía y en la prosa*. Quito: Casa de la Cultura Ecuatoriana, 1987.

--------------. *Esta goleta llamada poesía*. Quito: Casa de la Cultura Ecuatoriana Benjamín Carrión, 1991.

--------------. *El crepúsculo*. Quito: Editora Nacional, 1992.

--------------. *Desde un balcón volado*. Quito: Banco Central del Ecuador, 1992.

--------------. *Los canarios pintaron el aire de amarillo*. Ibarra: Univ. Técnica del Norte, 1994.

--------------. *Este largo camino: el placer de recordar*. Banco Central del Ecuador, 1994.

--------------. *Al norte de Dios*. Quito: Editorial Casa de la Cultura Ecuatoriana Benjamín Carrión, 1994.

Dirección de Publicaciones
Casa de la Cultura Ecuatoriana
Benjamín Carrión

Nelson Estupiñán Bass una
introducción sus escrito
de Marvin A. Lewis
se terminó de imprimir en el mes de noviembre de 2017
en la Editorial Pedro Jorge Vera
de la Casa de la Cultura Ecuatoriana.
Presidente: Camilo Restrepo Guzmán
Director de Publicaciones: Patricio Herrera Crespo